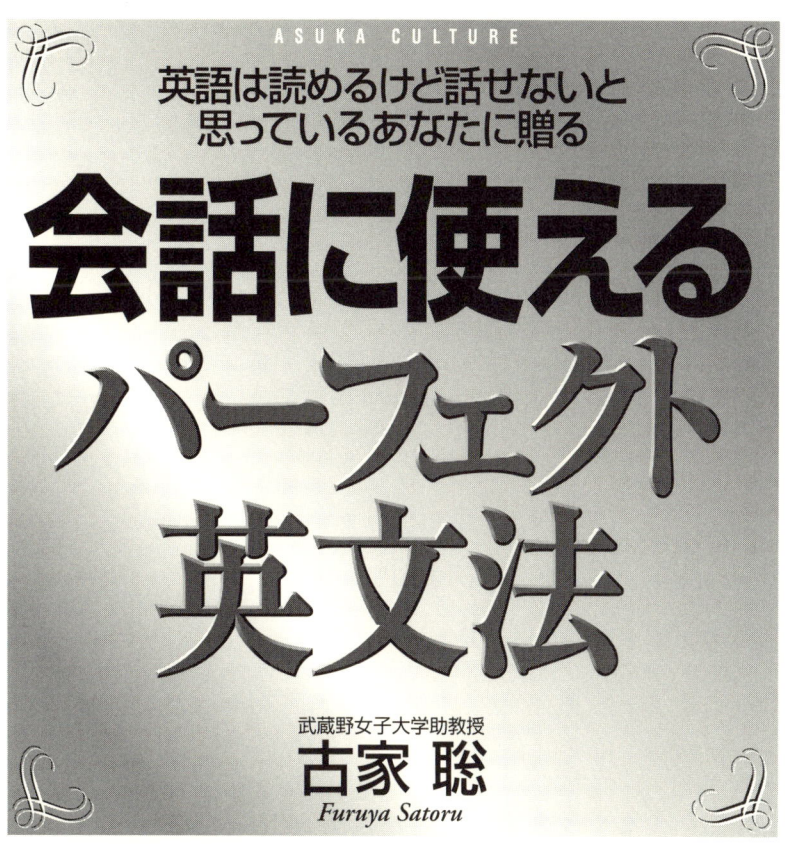

ASUKA CULTURE

英語は読めるけど話せないと
思っているあなたに贈る

会話に使える パーフェクト 英文法

武蔵野女子大学助教授
古家 聡
Furuya Satoru

本書では、会話によく使われる文法だけを集中して学習します。
文法的に正しい英語を話したいと思っている人、
もっと内容のある知的な会話をしたいと考えている人、ぜひ本書を活用してください。

Perfect Grammar
through
English Conversation

はじめに

　大学で英語を教えていて、よく耳にするのが、「中学までは英語が好きだったのに、高校で大学受験のため文法中心の授業を受けているうちに、英語が嫌いになった。でも、世界の共通語の英語を使って外国人と会話はしてみたい」という学生の声です。このように、英語が嫌いになった理由として、英語の文法をあげる日本人は非常に多いと思いますが、ここに１つの大きな誤解があります。確かに、文法偏重は困りものですが、日本人が外国語としての英語をマスターしようと思うならば、文法の知識は欠かせません。日本人が日本語の文法を意識しないように、英語のネイティブスピーカーならば、無意識のうちに文法を身につけるでしょうが、四六時中英語にさらされる状況にない日本人にとっては、ある程度の文法を意識的に理解したほうが英語をマスターするには効率的なのです。また、文法の知識があれば、それを応用することによって、コミュニケーションの世界が広がっていくのです。そもそも、文法と会話を区別して、「会話には文法は必要ない」と考えているとすれば、それは大きな間違いです。

**　大事なことは、会話が上手くなりたいと思うなら、会話に必**

要な文法だけを覚えればよいということです。すべての文法を学習する必要はありません。会話によく出てくる表現をマスターするためには、会話に頻出する文法に集中して学習すればよいのです。

　本書では、その趣旨にしたがって、仮定法や関係詞、そして、日本人が苦手とする前置詞や使役動詞などを中心に取り上げています。文法に関しては、最新の情報を提供するように努めました。例えば、これまで学習参考書や英和辞典などでは、文語や格式語とされていたmany a＋単数名詞（多くの〜）は、今や実際の会話でも使われていることにも触れました（p.194参照）。

　文法がメチャクチャな会話ではなく、日本人として、相手に好感を持たれるような会話をめざすためにも、本書で扱っている文法をぜひとも頭にたたきこんでください。もちろん、文法を文法としてとらえるのではなく、いつも状況を描いて読んでもらうためにも、解説はなるべく専門用語は使わずに、わかりやすい表現を心がけました。

　そして何よりも本書の最大の特色は、掲載した例文はすべて実際の会話ですぐに使えるものばかりを厳選している、ということです。ですから、本書では英文法を会話に生かすというこ

とを念頭におき、英会話には必要ないと思われる文法事項は一切取り上げていません。ここに掲載してある英文をマスターすれば、相当の会話力がつくはずです。「継続は力なり」です。さあ、今日からスタートしてみましょう。

　本書の刊行にあたって、英文作成にご協力いただいたTimothy J. Wright大妻女子大学教授、小生の講演を聞いてすぐに原稿依頼をしてくださった明日香出版社の石野誠一社長、そして、編集を担当された逆井理江さんに大変お世話になりました。ここに感謝の意を表します。

2000年5月

古家　聡

目 次

はじめに ………………………………………………	3
この本の使い方 ……………………………………	10

第1章 まずは仮定法から

1. Could I 〜? ……………………………………	14
2. Could you 〜? …………………………………	16
3. Would you 〜? …………………………………	18
4. would like to 〜 ………………………………	20
5. would like 〜 to ………………………………	22
6. What would you like to 〜? ………………	24
7. How would you like 〜? ……………………	26
8. It would be better to〜 ……………………	28
9. should have ＋ 過去分詞 ……………………	30
10. would have ＋ 過去分詞 ……………………	32
11. might have ＋ 過去分詞 ……………………	34
12. could have ＋ 過去分詞 ……………………	36
13. I wish ＋ 仮定法 ………………………………	38
14. would rather ＋ 動詞 ………………………	40

第2章 文章をどんどんつなげる便利な関係詞

15. who ………………………………………………	44
16. which ……………………………………………	46
17. whose ……………………………………………	48
18. what ……………………………………………	50
19. where …………………………………………	52
20. when ……………………………………………	54
21. why ………………………………………………	56
22. how ………………………………………………	58
23. that ………………………………………………	60

24. whoever ································· 62
25. whichever ································ 64
26. whatever ································ 66

第3章　あれこれ迷うな前置詞（句）

27. 時を表すat ······························· 70
28. 時を表すon ······························· 72
29. 時を表すin ······························· 74
30. 終点を表すby ····························· 76
31. 終点を表すtill ···························· 78
32. 起点を表すsince ·························· 80
33. 起点を表すfrom ·························· 82
34. 期間を表すfor ···························· 84
35. 期間を表すduring ························ 86
36. 期間を表すthrough ······················· 88
37. 時の経過を表すin ························ 90
38. 時の経過を表すwithin ···················· 92
39. 場所を表すat ····························· 94
40. 場所を表すon ····························· 96
41. 場所を表すin ····························· 98
42. 位置（上）を表すup ······················ 100
43. 位置（上）を表すabove ··················· 102
44. 位置（上）を表すover ···················· 104
45. 位置（下）を表すdown ··················· 106
46. 位置（下）を表すbelow ··················· 108
47. 位置（下）を表すunder ··················· 110
48. 位置（前）や順序（前）を表すbefore ······ 112
49. 位置（前）を表すin front of ·············· 114
50. 位置（後ろ）や順序（後）を表すafter ····· 116
51. 位置（後ろ）を表すbehind ················ 118
52. 方向を表すfor ···························· 120

53. 方向を表す to ……………………………… 122
54. 「〜の間」を表す between ……………… 124
55. 「〜の間」を表す among ………………… 126
56. 「〜から離れた」を表す from …………… 128
57. 「〜から離れた」を表す off ……………… 130
58. 目的を表す for …………………………… 132
59. 手段を表す by …………………………… 134
60. 手段を表す with ………………………… 136
61. 「〜に関して」を表す about …………… 138
62. 「〜に関して」を表す on ……………… 140
63. 「〜に関して」を表す as for …………… 142
64. 「〜に関して」を表す as to …………… 144

第4章　英語の論理を示す接続詞と副詞とは

65. because ………………………………… 148
66. since …………………………………… 150
67. now that ……………………………… 152
68. therefore ……………………………… 154
69. however ……………………………… 156
70. whether ……………………………… 158

第5章　意外と簡単、現在完了形

71. 「完了」を表す ………………………… 162
72. 「結果」を表す ………………………… 164
73. 「経験」を表す ………………………… 166
74. 「継続」を表す ………………………… 168

第6章　整理して覚えよう使役動詞

75. make …………………………………… 172
76. have …………………………………… 174
77. let ……………………………………… 176

78. get 178

第7章　日本人の苦手な数量形容詞と不定代名詞
79. 疑問文で使うsomeとは 182
80. 肯定文で使うanyとは 184
81. somethingの使い方 186
82. anythingの使い方 188
83. everythingの使い方 190
84. nothingの使い方 192
85. manyの使い方 194
86. muchの使い方 196
87. a fewの使い方 198
88. a littleの使い方 200
89. oneの注意すべき用法 202
90. none の使い方 204
91. anotherの使い方 206
92. othersの使い方 208
93. eachの使い方 210
94. everyの使い方 212
95. thoseで「人」を表す場合 214

第8章　その他の重要会話文法
96. the＋比較級〜, the＋比較級… 218
97. It is difficult to〜の構文 220
98. It is kind of you to〜の構文 222
99. 再帰代名詞の使い方 224
100. It is〜thatの強調構文 226

カバーデザイン　　目黒千晶
本文イラスト　　　橋本　聡

この本の使い方

　本書では、実用性の高い「使える」英語を厳選しました。これまでに学習した会話表現では物足りないと感じている人、文法的に正しい英語をしゃべりたいと思っている人、もっと内容のある知的な会話をしたいと考えている人は、まずはこの本にある表現をしっかりマスターしてください。

＜基本表現を徹底して覚えること＞

　見開きごとに、文法項目を含んだ短い英文を紹介しています。この英文には文法のエッセンスが詰まっています。まずはこの基本の英文を繰り返し声に出して、しっかり覚えてください。語学の学習には地道な反復練習が欠かせません。何度も口にしてスムーズに読めるようになったら、日本語だけを見てその英語が丸ごと言えるようになるまで練習してみましょう。

＜練習問題でチェック！＞

　文法解説を読んだら、さらにその文法が会話文の中でどのように使われているのか、練習問題で確認しましょう。穴埋め問題は、基本的に語彙力を問うています。会話に頻出する語や「詰め込み勉強」(cram)「コンビニ」(convenience store)「水玉模様」(polka dots)など、英語ではどう言うのかすぐには浮かばない表現も取り上げました。英文の前にあるチェック欄を使ってあなたの達成度をチェックしましょう。この練習問題の解答と解説は右ページにあります。

＜まるごと覚える会話例＞

せっかく文法を学んでも、会話で使えなければ意味がありません。どんな会話で生かせるのか、確認してみましょう。まるごと覚える会話例を音読して、自然に口に出るようになるまでしっかり反復練習してください。日常生活で見られるごく自然な会話が学べます。

＜ゆっくりでもいいから音読する＞

声に出して読むときは、はじめはゆっくりでもいいので、自信を持って大きな声で読みます。発音をごまかそうとして急いで話そうとするよりも、文法的にきちんとした英語で自分の意志を伝えるほうが信頼感を持たれます。しっかりと相手の話に耳を傾け、自分の考えを正しい文法で的確に表現する、そのためにも発音練習は欠かせません。

＜別売CDの活用＞

本書の英語表現を音声で聞きたい方に、別売のCDを用意しました。

CDには、見開きの左ページにある基本英文表現と「まるごと覚える会話例」を収録しました。英語はアメリカ英語で、普通の話し言葉よりもややゆっくり読んでいます。別売のCDは、書店または明日香出版社へ直接お電話にてお求めください。本体価格は1800円です。

明日香出版社の注文電話番号は
　　　　フリーダイヤル0120-00-3855です。

第1章
まずは仮定法から

　皆さんは、仮定法と聞くと、If I were a bird, I would fly.（もし、鳥だったら、空を飛ぶのになあ）のような、If～が付いていて複雑で「面倒くさい文章」というイメージがありませんか。会話には、あまり必要のない文法と考えている方もいるかもしれません。ところが、**実際の会話では、仮定法は非常によく出てきますし、**しかも前半のIf～の部分よりも、後半のI would fly.の部分、つまり、この文章の**主節の部分だけが使われることが多いのです。**例えば、「私は～したい」というときに使うI would like to～も仮定法の主節の部分と解釈することができます。あるいは、「タバコはやめたほうが賢明だよ」を英語にすると、It would be better for you to give up smoking.となりますが、この文章も実は仮定法で、If you gave up smoking, it would be better.ということなんです。

　さらに、仮定法は「丁寧な」依頼をするときにも使えます。人に何かをしてもらいたいときに、Could you do me a favor?（お願いしてもよろしいでしょうか）のように言いますが、このCould you～?という表現も仮定法です。

　このように、仮定法は会話の様々な場面に頻出しますので、覚えておくと、とても便利です。さあ、まずは仮定法からマスターしてみましょう。

1 Could I ~?

CD 1

「水を(1杯)もらえますか」
Could I get a glass of water, please?

　日本では、レストランや喫茶店に入れば、席につくなり、水が出てくるのが普通ですね。しかし、アメリカやイギリスでは、必ずしも店の人が水を出してくれるというわけではありません。ですから、日本の習慣に慣れていると、どうしても水がほしくなるときがあります。そんなときには、この表現、Could I get a glass of water, please?と言ってみましょう。最後のpleaseも忘れずに付けてください。いくらお客といっても、本来サービスされていないものを頼むのですから、できるだけ「丁寧な」表現を使うこと。

　Could I ~?は、「~することが自分としてできるか」つまり、結果として相手にそのことを「頼む」ときや「許可を求める」ときに使うことのできる仮定法です。 発音するときには、CouldとIを分けないで、一気に「クッダイ」とひとかたまりになるように言ってみましょう。

練習問題でチェック！

1. メニューを見せていただけますか。
□ **Could I** ask you (　　　) a menu, please?

2. ちょっとお話ししてもいいですか。
□ **Could I** talk to you for a (　　　)?

3. 来週、休暇を取ってもよろしいですか。
□ **Could I** (　　　) a vacation next week?

会話に使えるパーフェクト英文法

まるごと覚える会話例

A: What will you have for dessert?
B: I'll have a piece of apple pie. And **could I** get a glass of water, please?
A: Oh, sure. Anything else?
B: No. That would be fine.

訳例

A: デザートは何にいたしますか。
B: アップル・パイをお願いします。それから、水を1杯もらえますか。
A: はい。ほかにはよろしいですか。
B: ええ、それで結構です。

練習問題の解答と解説

1.for　ask＋人＋for～の形で「人に～を頼む」という意味。
2.while　このwhileは名詞で「時間」のこと。for a whileで「ちょっとの間」という意味。　**3.take**　「休暇を取る」はtake a vacationとして覚えよう。

2 Could you ～?

CD 1

「お願いがあるのですが」
Could you do me a favor?

　ここでも、相手に何か頼む場合の表現を覚えましょう。ただし、今度はCould I～?ではなくて、Could you～?です。これは相手に何かしてもらうことをお願いするときに、「～することはしようと思えば可能でしょうか、それとも現実には無理でしょうか」という意味が込められているので仮定法となるわけです。でも、この表現を使うときにはいちいちそんな理屈を考える必要はありません。**お願いをするときにCan you～?よりも「丁寧な表現」として、このCould you～?を覚えておきましょう。**もちろん、この表現を言ったあとには、「お願い」の具体的な内容を続けることになります。

　さて、これを言われた相手は何と答えるかというと、たいていは、Oh, yes, if I can.（ええ、私でできることなら）とか、Yes, it depends.（まあ、事と次第によるけど）などと言います。相手の依頼の内容を聞かないうちに、調子に乗って、Yes, of course.（何でもどうぞ）などとは言わないほうが賢明です。

練習問題でチェック！

1. ちょっとの間、辞書を貸してもらえますか。
　☐ **Could you** (　　　) me your dictionary for a minute?

2. もう少しゆっくりしゃべってくれますか。
　☐ **Could you** please speak a little (　　　)?

3. ドレッシングを取ってくれますか。
　☐ **Could you** pass (　　　) the dressing?

会話に使えるパーフェクト英文法

まるごと覚える会話例

A: Oh, no! That announcement just said that there's going to be a delay.
B: Do you mean the train is going to stop?
A: That's right. But I don't know for how long.
B: **Could you** lend me your cell phone so that I can call my office?
A: Here, go right ahead.

訳例

A: えっ、まさか。今のアナウンスによると、電車が遅れるみたいだね。
B: 電車が止まってしまうということ?
A: そうだよ。でも、どのくらいの時間かわからないね。
B: 会社に電話するから、携帯電話貸してくれる?
A: いいよ、どうぞ。

練習問題の解答と解説

1. lend 「貸す」のはlendで、「借りる」はborrow。 **2. slower** 比較級にすることを忘れないように。 **3. me** 英米では、自分で手を伸ばして取るよりは、頼んで取ってもらうほうが普通。

3 Would you ～?

「CDプレーヤーの音をもう少し小さくしてくれますか」

Would you mind turning down your CD player a little?

　このWould you ～?は、「～していただけますか」とか「～しませんか」のように、依頼したり勧誘したりするときの表現で、Do you ～?よりは、ずっと「丁寧」になります。この表現の背景には「もし事情が許せば」という仮定法の気持ちがあるのですが、覚えておくべきは、**Would you ～?と言えば、「丁寧」な表現になるということ**です。

　なお、**mindは後に～ingの動名詞が続きます**。意味は「気にかける」ということですから、これに対して答えるときは、その質問の内容に問題がなければ、No, not at all.（いいですよ）とか、No, certainly not.（ええ、もちろん）などと言います。もし、Yes.と言ってしまうと、「イヤです」「ダメです」の意味になりますので、注意して答えましょう。

練習問題でチェック！

1. もう少し、詰めてくれますか。そうすれば、私も座れますので。
☐ **Would you** mind (　　　) over a bit so that I can sit down?

2. この次は、試験でもっといい点数を取るために、もう少し一生懸命やってくださいね。
☐ **Would you** try a little (　　　) next time to get a better exam score?

3. 車からこれらの箱を運び出すのを手伝ってくれますか。
☐ **Would you** help me (　　　) these boxes out to the car?

まるごと覚える会話例

A: **Would you** run over to the convenience store and pick me up a carton of milk?

B: Sure, no problem. Can I get you anything else?

A: I think we also need some bread for breakfast tomorrow.

B: O.K. I'll be back in about ten minutes.

訳例

A: コンビニまで急いで行って、牛乳を1パック買ってきてくれるかしら。
B: もちろん、いいよ。ほかに何かいるかな。
A: 明日の朝食用のパンもいるわ。
B: わかった。10分くらいで戻るから。

練習問題の解答と解説

1. moving　move overで「席などを詰める」という意味。

2. harder　意味的に比較級にする。　**3. carry**　helpは目的語のあとに動詞の原形を取ることができる。

4 would like to～

「休暇中にはニューヨークに行きたい」
I would like to go to New York for my summer vacation.

このwould like toという表現も、「できることなら～したい」という含みがあるので、厳密には仮定法の一種です。しかし、そのことよりも、覚えておくべきは、**would like toはwant toよりも「丁寧」な表現として使える**、特に、外国語として英語を日本人が使う場合には、とても便利な表現なのです。例えば、日本人が場違いなところでwant toを「ワナ」などと発音してひんしゅくをかうよりは、「～したい」という意味ではwould like toを使うほうが安全です。

なお、I would like toはI'd like toというふうに短縮されて使われますし、イギリス英語では同じ意味で、should like toも使われます。また、どちらかと言えば女性が使う類似表現として、would[should] love to（ぜひ～したい）も覚えておきましょう。

練習問題でチェック！

1. お前は、もう少し家のことを手伝いたいと言わなかったかね。
□ Didn't you say you **would like to** help out (　　　) the family chores a little more?

2. 今度の日曜日に私たちのハイキングに参加したいのですか。
□ Do you think you **would like to** (　　　) us for a hike next Sunday?

3. 彼女は、自分でそのプロジェクトを終えたいと言いました。
□ She said she **would like to** finish the project (　　　) herself.

まるごと覚える会話例

A: Do you guys have any plans for this coming summer?
B: Well, if we manage to save enough money, we **would** really **like to** take a week's vacation to Tahiti.
A: Wow! That's a great idea, but don't you think that's going to be rather expensive?
B: Sure, but I've had my heart set on it for years.

訳例

A: 君たちは、この夏には何か計画があるのですか。
B: ええ、もしお金を貯めることができたら、僕たちは1週間休みを取ってタヒチにぜひ行きたいと思っています。
A: まあ、すごいじゃない。でも、ちょっと高くなるんじゃないの。
B: そうですね。でも、何年間も心に決めていたことですから。

練習問題の解答と解説

1.with helpは「～を手伝う」の意味のとき、「～を」の前置詞はwithを使う。**2.join** joinは前置詞なしですぐ目的語を取る。**3.by** この場合「自分で」は「独力で」の意味。

5 would like～to

「その話についてもっと教えてほしい」
I would like you to tell me more about the story.

　前項4で学んだwould like toの変化形として、覚えておきたいのが、このwould like～toです。これは、would like A to Bの形で、Aの部分に「人」の目的格、Bの部分に動詞を入れて「AにBしてもらいたい」という意味でよく使われる表現です。Bの意味上の主語はAですから、上の例文ではtellするのは youだということになります。つまり、**この表現は「〜に〜してほしい」という意味で、誰かに何かを頼むときにも使うことができるわけです。**

　また、この表現を疑問文にして、Would you like me to make some coffee?（直訳すれば、私にコーヒーをいれてもらいたいですか）と言えば、要するに「コーヒーをいれましょうか」と、こちらから何かをしてあげるときに使える表現になります。

練習問題でチェック！

1. 夕食前に自分の部屋をきれいにしてほしいわ。
□ I **would like** you **to** (　　　　) up your room before dinner.

2. 彼女は君に数学の宿題について、これからはもう少し気をつけてほしいと思っている。
□ She **would like** you **to** be a little more (　　　　) on your math homework in the future.

3. その警官は、私たち全員がちゃんと注意深く運転することを望んでいる。
□ The police officer **would like** all of us **to** (　　　　) sure we drive carefully.

まるごと覚える会話例

A: I have a good piece of advice for you.
B: What is it?
A: I **would like** you **to** be a little more careful when you go out at night.
B: Thanks for your concern. There has been a lot of crime recently in the entertainment areas, hasn't there?

訳例

A: 君にちょっとアドバイスがあるんだ。
B: 何ですか。
A: 夜に外出するときには、もう少し注意深くなったほうがいいよ。
B: 心配してくれてありがとう。最近、歓楽街では、犯罪が多発していますよね。

練習問題の解答と解説

1.clean clearと間違えないように。 **2.careful** この形容詞は「気をつける」「注意深くなる」という意味で、頻繁に使われる。 **3.make** make sureの後にthatが省略され、that以下のことを「間違いなく〜する」ということ。

6 What would you like to～?

「大学を卒業後、何をしたいのですか」
What would you like to do after you graduate from college?

　会話は、キャッチボールに例えられることがあるように、お互いの質問と答えの繰り返しです。「～したい」という意味の「丁寧」な表現、would like toを覚えたところで、今度はこの表現をもう少し発展させてみましょう。

　疑問詞（What、When、Where、Which、Howなど）にwould you like to～を続けると、「何をしたいですか」「いつしたいですか」「どこでしたいですか」「どちらをしたいですか」「どのようにしたいですか」という意味の丁寧な質問になります。いくつか例文をあげますので、声に出して覚えてください。なお、How would you like?については、次の項目（p.26）で別途取り上げます。

　When would you like to come?（いつ来たいと思っていますか）／Where would you like to sit?（お席はどちらがいいでしょうか）

練習問題でチェック！

1. 今晩、仕事のあとは何をしたいですか。
□ **What would you like to** do after (　　　) tonight?

2. 明日の夜は、夕食に何を食べたいですか。
□ **What would you like to** eat (　　　) dinner tomorrow night?

3. 将棋かチェスのどちらをしたいですか。
□ (　　　) **would you like to** play, *shogi* or chess?

まるごと覚える会話例

A: **What would you like to** be when you grow up?
B: If everything works out, I'd like to be working in banking in the future.
A: Do you think you'll be happy in that field?
B: Oh, I'm sure of it! I think the monetary business would really be exciting!

訳例

A: 大きくなったら、何になりたいの。
B: うまくいったら、僕は将来、銀行で働きたい。
A: そういう仕事が好きなんですね。
B: うん、もちろん。お金の仕事はわくわくするから。

練習問題の解答と解説

1.work 無冠詞であることに注意。**2.for** 「昼食に」ならfor lunchとなる。 **3.Which** A or Bの形で聞いているのでWhichを入れる。

7 How would you like〜?

CD 4

「卵はどのようなものがお好みですか」
How would you like your eggs?

　重要なことは、まず、上の例文のように **How would you like の後に名詞が来ている場合は、その名詞に対する「感想」や「好み」を聞いている**ということです。例えば、How would you like your steak? は「ステーキの焼き加減はどうしますか」という意味です。

　次に、**相手を「勧誘する」場合にも使います**。下の練習問題のように、How would you like の後にto＋動詞を続ければ、「〜するのはどうですか」と勧める意味になります。How would you like to take a little break? は「ちょっと休憩しよう」ということです。

　なお、卵の調理法に関連して、boiled（ゆで卵）、scrambled（いり卵）、fried（卵焼き）、sunny-side up（目玉焼き）、poached（落とし卵）などを、そして、ステーキの焼き方に関連して、rare（レア、生焼け）、medium（中くらいに焼く）、well-done（しっかりと焼く）を覚えておきましょう。

練習問題でチェック！

1. 今週末、軽井沢に行くというのはどう。
□ **How would you like** to go up to Karuizawa this (　　　　)?

2. 今日の昼は、ピザを食べるのはどう。
□ **How would you like** to eat pizza (　　　) lunch today?

3. 元日は、日差しの暖かいグアムに行って過ごすのはどう。
□ **How would you like** to (　　　) New Year's down in sunny Guam?

会話に使えるパーフェクト英文法

> ## まるごと覚える会話例
>
> A: **How would you like** to join me for dinner tonight in the Ginza?
> B: That sounds great! I'd love to. What are we eating?
> A: Well, I was thinking of Italian or *sushi*.
> B: What about Italian? We can eat *sushi* anytime.

訳例

A: 今晩、一緒に銀座で夕食というのはどう。
B: それは、いいわね。喜んでご一緒するわ。何を食べるの。
A: そうだね。イタリアンか寿司を考えていたんだけど。
B: イタリアンはどう。寿司はいつでも食べられるわ。

練習問題の解答と解説

1. weekend 「平日」はweekday。 **2. for** 「朝食に」はfor breakfast。 **3. spend** この文のNew Year'sというのは、New Year's Day（元日）のことである。New Year's Eveと言えば「大晦日」のこと。downがあるので、「そこまで行って」という感じを込めている。

8 It would be better to～

「タクシーに乗ったほうがいいですね」
It would be better to take a taxi here.

　このIt would be better to～を取り上げた理由は、「～したほうがいい」という場合、なぜか日本人はhad betterを思い出すからです。had betterにはかなり強い響きがあるので、例えば、母親が子供に言うのはいいかもしれませんが、大人同士が言う場合には気をつけないと相手にショックを与えてしまいます。

　「～したほうがいい」という意味を表すには、shouldを使えば十分ですが、オススメはこのIt would be better to～です。この表現ならば、やんわりと「～したほうがいい」という趣旨を伝えることができます。would beのところに、仮定法の「多分～でしょう」という控えめな意味合いが出ています。wouldの代わりに mightとすれば、さらに表現がやわらかくなります。なお、「～が」と行為者をはっきりさせるときは、betterの後にfor～を置き、「～しないほうがいい」と言う場合は、toの前にnotを置きます（練習問題2）。

練習問題でチェック！

1. 電車の代わりにタクシーに乗ったほうがずっと早いと思う。
□ I think **it would be better to** take a taxi (　　　) of a train.

2. 彼女は彼らにそんな個人的質問はしないほうがよいでしょう。
□ **It would be better** for her not **to** ask such (　　　) questions to them.

3. のどが痛くて熱があるのなら、家で寝ていたほうがいいよ。
□ **It would be better to** stay home in bed if you have a (　　　) throat and fever.

まるごと覚える会話例

A: Do you think we should stay for the second party?

B: No, I don't. **It would be better** for us **to** say good-bye after the wedding reception ends.

A: I think you're probably right about that since we won't know anybody.

B: Besides I've got to get up early tomorrow for work.

訳例

A: 2次会までいたほうがいいと思う?

B: いや。結婚披露宴が終わったら、われわれは失礼したほうがいいよ。

A: そうね。誰も知っている人がいなさそうだし。

B: それに、明日の朝は仕事で早いから。

練習問題の解答と解説

1.instead instead of〜は「〜の代わりに」という意味で頻出。
2.personal 「私的な」というニュアンス。 **3.sore** 「のどが痛い」ときによく使う。

9 should have ＋過去分詞

CD 5

「昨晩の会議に出席すべきでした」
I should have joined the meeting last night.

「～すべきだった」は、should have ＋過去分詞で表すことができます。上の例文では、実際には「会議に出席しなかった」わけです。この場合、仮定法過去完了の条件節（例えば、If I had known the meeting was very important「会議が重要と知っていたなら」など）が省略されていて、主節のみが表現されていると考えてください。このように、条件節の部分は話者の気持ちの中にあって表現されず、主節のみが表現されることは、現実の会話ではよくあることです。

should have の発音は、should と have がリエゾン（音がつながる）して[ʃdəv]となります。また、should have の後にくる過去分詞のところが意味的に一番重要ですから、そこにアクセントを置いて強く言うことを忘れないように。

練習問題でチェック！

1. 先週の土曜の夜、新宿でのパーティに出ればよかったのに。
□ I think you **should have joined** the party in Shinjuku (　　　) Saturday night.

2. われわれは、外国語をマスターするために若いときにもっと努力すべきだった。
□ We **should have** (　　　) more efforts when we were younger to master foreign languages.

3. 今年はジャイアンツがセリーグで優勝するはずだったのに。
□ The Giants **should have** (　　　) the Central League Pennant this year.

まるごと覚える会話例

A: How's the prime rib taste?

B: Not so great. I **should have ordered** the T-bone steak.

A: Well, my filet was not the world's greatest, either.

B: I think this is the last time we'll ever eat here.

訳例

A: 極上リブの味はどう。

B: そんなによくはないわ。Tボーンステーキにすればよかった。

A: 僕のフィレも最高ってわけじゃないな。

B: ここで食べるのは最後にしましょう。

練習問題の解答と解説

1. last このlastは、「言った時点で一番近い」ということなので「この前の」と解釈すればよい。 **2. made** 「あらゆる努力をする」はmake every effort。 **3. won** pennantというのは「優勝旗」のことで、win the pennantで「優勝する」となる。

10 would have ＋過去分詞

「昨日が誕生日と知っていたなら、彼女に電話したのに」

I would have called her if I had known yesterday was her birthday.

　前項で見たように、仮定法過去完了は「もし〜していたら、〜だったのに」という「過去の事実の反対」を表します。条件節 (ifで始まって過去完了形になっている部分) は、この例文のように、主節の後に置かれることもあります。ここで覚えておくべきことは、**would have ＋過去分詞で「過去の事実に対する願望や意見」を表すことができる**ということです。さらに「願望」だけでなく、「残念な気持ち」が含まれている場合もあります。上の例文では、結局「電話をしなかった」わけですから、そのことが「残念だ」という話者の気持ちが伝わってきます。would have の発音も、should have と同様、リエゾンされて [wdəv] となります。

練習問題でチェック！

1. 電話をくれれば、喜んで仕事先まで送っていってあげたのに。
□ **I would have** gladly **given** you a (　　　) to work if you had phoned me.

2. 今日がこんなにひどい日になるとわかっていれば、家で寝ていたよ。
□ **I would have stayed** (　　　) bed if I had known what a terrible day this would be.

3. 日本シリーズ最終戦のチケットを手に入れるためなら何でもしようと思ったんだが。
□ **I would have given** my right (　　　) for a ticket to the Japan Series final.

会話に使えるパーフェクト英文法

まるごと覚える会話例

A: Do you think you **would have had** a chance to make the team if you had practiced more?
B: Probably not. I don't think I was good enough as a player.
A: Well, practice hard this year and maybe you might be able to make the cut next season.
B: Thanks for your encouragement!

訳例

A:もっと練習していたらチームの一員になるチャンスがあったと思う?
B:たぶんなかったと思う。選手としてはイマイチだったから。
A:じゃ、今年もっと練習すれば来シーズンはチームに残れるわ。
B:励ましてくれて、ありがとう。

練習問題の解答と解説

1.liftあるいはride give a lift[ride]で「車に乗せる」という意味。 **2.in** in bedと無冠詞になることに注意。 **3.arm** give one's right arm for～で「～のために何でもする」という決まり文句。

33

11 might have＋過去分詞

「彼のホームランが出なければ、僕たちは試合に負けていたかもしれない」

Without his home run, we might have lost the game.

　might have＋過去分詞は、should have＋過去分詞やwould have＋過去分詞と理屈は同じですから、理解するのもそんなに難しくはないですね。**might have＋過去分詞は「〜だったかもしれない」という意味で「現在から過去を推量して」使われる**ことを覚えておきましょう。

　さて、上の例文の冒頭をみてください。条件節（主語＋述語動詞）になっていませんね。このように、仮定法では、句（ここでは前置詞句Without〜）で条件を表すことがあります。もちろん、この部分を節にして、If he had not hit a home run, (もし、彼がホームランを打っていなかったとしたら) としても立派な英語ですが、会話ではなるべく簡潔に表現することを心がけましょう。

練習問題でチェック！

1. 彼が手伝ってくれなければ、私たちはあのプロジェクトを終えることができなかったかもしれない。

☐ (　　　　) his help, we **might** not **have finished** the project.

2. もう少し早く起きていれば、初回の映画を見ることができたのに。

☐ If we had gotten up a little earlier, we **might have made** the first (　　　　) of the movie.

3. 面接に失敗していなければ、あの仕事をもらえたかもしれない。

☐ I **might have got** the job if I hadn't blown the (　　　　).

まるごと覚える会話例

A: Wow! That was a close call. We just made it in time!
B: We're really lucky. It scares me to think that we **might have missed** the Bullet Train for Osaka if we hadn't run up the escalator.
A: I know! Next time we've got to be more careful.

訳例

A:やった。間一髪だったね。間に合ったよ。
B:ラッキーね。もしエスカレーターを駆け上らなければ、大阪行きの新幹線に間に合わなかったかもしれないなんて、考えるだけでぞっとするわ。
A:わかっているよ。今度は、もっと気をつけよう。

練習問題の解答と解説

1.Without 仮定法でよく使われるこのwithoutは、「もし〜がなければ」という意味。 **2.showing** 「初回の映画」はthe first runとも言う。 **3.interview** blow the interviewで「面接に失敗する」という意味。

12 could have+過去分詞

「子供たちが静かにしていたら、もっと楽しめたのに」

I could have enjoyed more if the children had been quieter.

　ここでは、仮定法過去完了の締めくくりとして、**could have＋過去分詞**の形を覚えてしまいましょう。**「〜できたのに」という意味ですから、「実際には過去において〜できなかった」ことを表しています**。なお、書き言葉では、条件節の部分だけが書いてあって、主節の部分が書いていない場合があります。例えば、If (only) the children had been quieter!と書いてあれば、「子供たちがもっと静かだったらよかったのに」ということで、前後関係から主節で言わんとしていることがわかるというわけです。会話の本なのに、なぜ書き言葉の説明をしているのかって？それは、次の項（p.38）を読んでいただければわかります。

練習問題でチェック！

1. あの老人たちにもう少しやさしくてもよかったのでは。

□ You **could have been** a little more (　　　) to those older people.

2. あんなにうるさくなければ、パーティをもっと楽しむことができたのに。

□ I **could have enjoyed** the party more if it hadn't been so (　　　).

3. トムは今日ビーチに行くこともできたのだが、代わりに1日中家でぶらぶらしていた。

□ Tom **could have gone** to the beach today, but instead (　　　) around home all day.

まるごと覚える会話例

A: How was the car trip to the forest?
B: Not so great. We had a lot of problems on the way.
A: You mean it was a bad day for you?
B: Well, I **could have enjoyed** it a lot more if the kids hadn't been fighting all the time.

訳例

A: 森林を車で旅行したのは、どうでしたか。
B: そんなによくなかったわ。途中でいろいろ問題があって。
A: ひどい1日だったということですか。
B: 子供たちがずっとけんかをしていなかったら、もっと楽しめたと思うわ。

練習問題の解答と解説

1.polite politeの比較級はmore politeとpoliterの2通りある。
2.noisy スペリングに注意。noiseyとしないように。 **3.hung** 文の後半は「事実」なので、当然hangの過去形になる。hang aroundで「ぶらぶらする」という意味。

13 I wish＋仮定法

「私はもう少し背が高かったらいいのに」
I wish I were just a little bit taller.

前項で、書き言葉では、仮定法の条件節の部分のみが書いてある場合があると述べました。**ここの I wishは、その条件節のIfの代わりに使われると考えてみてください**。そうすれば、簡単にこの例文の構造が理解できますね。つまり、「現在の願望」ならばI wishの後に仮定法過去形を置き（下の練習問題1と2）、「過去の願望」ならば仮定法過去完了形を置けば（下の練習問題3）よいのです。さらに「未来の願望」ならば、通例はwould～の形（例えば「明日のお昼に来ていただけるといいのですが」は、I wish you would come tomorrow noon.）になります。

なお、上の例文のように、I wishに続く節のなかでは仮定法過去のbe動詞は、主語が単数であってもwereとなるのが正式ですが、くだけた表現では、wasが使われることもあります。

練習問題でチェック！

1. お前は、あんまり口うるさくなければいいのに。
□ **I wish you weren't** such a (　　　).

2. この休暇に使うお金がもっとほしいなあ。
□ **I wish I had** more money to spend (　　　) this vacation.

3. 私たちは、もっと若いときに会っていればよかったと思います。
□ I only **wish we could have met** when we were much (　　　).

まるごと覚える会話例

A: Could you please make more of an effort to keep your room clean!

B: Oh, mom, **I wish you wouldn't treat** me like a child!

A: **I wish you would try** to be more neat and tidy.

B: Well, I'm always in a hurry, so I rarely have time to clean up.

訳例

A: もうちょっと自分の部屋をきれいにするようにできないの。
B: お母さん、僕を子供扱いしないでほしいな。
A: もっと整理整頓するようにしてほしいわ。
B: だって、いつも急いでいて、掃除する時間がないんだよ。

練習問題の解答と解説

1.loudmouth a loudmouthで「おしゃべりな人」のこと。
2.on on vacationや on holidayなど、「休暇に/で」の前置詞はon。 **3.younger** 前にmuchがあるから、比較級にする。

14 would rather＋動詞

「ビールよりもワインが飲みたい」
I would rather have wine than beer.

　この **would rather＋動詞** の形は仮定法に由来していますが、**「どちらかと言えば〜したい」という意味でよく使われる慣用表現**として覚えておきましょう。would like toと同様に、wouldのところは短縮して 'd ratherとして発音されることがあります。日本人が英語をしゃべる場合に、相手に失礼な感じを与えないという意味でも便利な表現です。「〜したい」と自分の意志を表明する際に、ストレートに言ってしまうと「図々しい」と思われるような状況で使うと効果的です。

　「どちらかと言えば〜したくない」という否定にするには、would ratherのすぐ後にnot＋動詞を置きます。例えば、「行きたくない」はI would rather not go.となります。また、I would ratherの後に文（従属節）が来ることもあり、その文は仮定法過去形になります（下の練習問題3）。これも、前項で学習した「現在の願望」と考えればわかりますね。

練習問題でチェック！

1. スキーよりもスノーボードに行きたい。
☐ **I would rather go** (　　　　) than skiing.

2. 彼は、その日は街に出かけるより家でのんびり過ごしていたいのです。
☐ He **would** much **rather spend** the day quietly at home than (　　　　) into the city.

3. むしろ別の日に買い物に行きたいのですか。
☐ **Would** you **rather** we (　　　　) shopping another day?

会話に使えるパーフェクト英文法

まるごと覚える会話例

A: Which **would you rather have**, pizza or fried chicken?
B: I **would rather have** pizza. It tastes better and it's less greasy.
A: What would you like to drink, Coke or iced tea with it?
B: I **would rather have** Coke, please.

訳例

A: ピザとフライドチキンでは、どちらを食べたいですか。
B: ピザのほうがいいわ。おいしいし、脂っこくないから。
A: 飲み物はコーラとアイスティーのどっちにする?
B: コーラがいいわ。

練習問題の解答と解説

1. snowboarding スペリングに注意。また、スキー、スノーボード、サーフィンなどに行く場合は、すべてgo〜ingとなる。
2. go ここは動詞のspendと比較しているので動詞のgoを入れる。 **3. went** このようにwould ratherを使った場合、従属節の動詞は仮定法過去形になる。

第2章
文章をどんどんつなげる便利な関係詞

　ここからは、**会話によく出てくる関係詞を学びます。**ここで言う関係詞には、関係代名詞と関係副詞の両方が含まれます。関係詞を難しいと感じている人は多いかもしれませんね。それは、多分、関係詞という文法概念が日本語にはないからだと思います。ですから、文の後ろから意味をとるように言われ、関係詞を「〜のところの」などと訳したりしていませんでしたか。でも、**実際に会話で使うときは、ある文を言った後に、その文をさらにつなげるための文法だと理解してください。**

　そして使い方も実はそんなに複雑ではないのです。**「人」のことを言っているときはwho、「〜の」という所有はwhose、「物」のときはwhich、「時」はwhen、「場所」は whereなどと基本の概念さえ押さえておけば、大丈夫です。**関係代名詞の場合は、主格、所有格、目的格とありますが、主格と所有格の用法を覚えておけば十分です。なぜなら、目的格の関係代名詞は、会話では省略することが多いからです。

　また、**本書では「会話に使える」という視点から、whoever、whichever、whateverも取り上げました。**さあ、それではあなたの会話を短い文の羅列から発展させて、知的な会話へとグレードアップさせる関係詞を1つ1つみていきましょう。

15 who

「鈴木さんは、お嬢さんに英語を教えてくれる大学生を探しています」

Mr. Suzuki is now looking for a college student who can teach English to his daughter.

　上の例文で大事なことは、「鈴木さんは大学生を探している」ですね。Mr. Suzuki is now looking for a college student. そして「どんな大学生」なのかと言えば「お嬢さんに英語を教えてくれる」ですから、can teach English to his daughterが出てきます。この2文をつなげる役目を果たすのが、関係代名詞のwhoなのです。**関係代名詞のwhoを使うときの基本は、主語＋動詞＋目的語（人）の英語を作った後、その目的語の人がどんな人なのかを説明するということです。**そして、その説明をする際に、その「人」を主語にして、whoのすぐ後に動詞（助動詞）を置けばよいのです。

練習問題でチェック！

1. 警察は、昨夜遅くに起こったひき逃げ事件の容疑者を捜査中です。

☐ The police (　　　　) now looking for a suspect **who** was involved in a hit-and-run accident late last night.

2. 私は、ゴルフのハンディが5だという銀行の副頭取を知っています。

☐ I know a (　　　) president of the bank **who** is a 5-handicap golfer.

3. 多くの女性は、知的でハンサムだけでなく、経済的にも裕福な男性に出会うことを夢見ている。

☐ Many young women dream about meeting a man **who** is not only intelligent and handsome, but financially (　　　) off.

まるごと覚える会話例

A: Do you happen to know any good-looking single men around here?
B: Sure, there are lots of them around. Exactly what type are you looking for?
A: One **who** is hard working but also warm hearted.
B: I'm going to a dinner party this Friday evening. Why don't you join me?

訳例

A: かっこいい独身男性を知らないかしら。
B: もちろん、たくさんいるよ。どんなタイプを探しているの。
A: 一生懸命働くけれど、心が暖かい人よ。
B: 今度の金曜の夜にパーティを開くから、いらっしゃい。

練習問題の解答と解説

1.are　the policeは複数扱いであることに注意。　**2.vice**　「副社長」もvice presidentという。　**3.well**　well offで「何かをたくさん持っている」の意味。

16 which

「ファックスに書いておいた
フランス料理の店、覚えていますか」

Do you remember the French restaurant which was mentioned in my fax?

　ここでは前項のwhoと同じ理屈ですが、**目的語の部分が「人」ではなく「物」であるときに使うのがwhich**ということを覚えておきましょう。上の例文で、聞きたいのは「フランス料理の店を覚えていますか」ということですね。まず、Do you remember the French restaurant?と言って、その後にwhich、そして「私のファックスに書いておいた（書かれていた）」の部分、was mentioned in my faxを続けます。もし、I mentioned in my fax. という英語が思い浮かんだとしても、それでも構いません。Do you remember the French restaurant which I mentioned in my fax? となりますね。この場合のwhichは、目的格の関係詞となり、省略することが可能です。

練習問題でチェック！

1. 映画に出てきたビーチを覚えている？
□ Do you remember the beach **which** was (　　　　) in the movie?

2. 金曜日の夜にレストランにあった美しい絵のことを思い出せるかしら。
□ Do you (　　　　) the beautiful painting **which** was in the restaurant last Friday night?

3　手ごろな値段だと思うかもしれませんが、あの車は気に入っていません。
□ I don't like that car **which** you might think is a (　　　　) price.

まるごと覚える会話例

A: Do you remember the building **which** belonged to his father?
B: Sorry, it's been such a long time that I can't remember right now.
A: Well then, why don't we try that one?
B: Which one do you mean? The gray building or the brown one?

訳例

A: 彼の父親が所有していたビルを覚えていますか。
B: いいえ、ずいぶん前なので覚えていません。
A: じゃ、あのビルに行ってみましょう。
B: どのビルですか。灰色のですか、茶色のですか。

練習問題の解答と解説

1.shown「映画で上映された」と考える。**2.recall** rememberでも間違いではないが、「思い起こす」「記憶を呼び戻す」のニュアンスではrecall。**3.reasonable** 英語圏では、道理（reason）を価値判断の基準にすることが多いので、「理にかなっている」「妥当な」という意味の reasonableは、覚えておくと便利な単語。

17 whose

「もしかして、トム・クルーズという名の英語教師を知っていますか」

Do you happen to know an English teacher whose name is Tom Cruise?

　まず、この **whose** は、その対象が「人」でも「物」でもよい、つまり、何でも対象になるわけですが、**会話では、ほとんどの場合「人」が対象であると考えてください**。範囲を「物」に広げても、下の練習問題2にあるように、せいぜい「動物」くらいまでです。そして、重要なことは、この関係詞が所有格と言われているように、**説明するのは対象そのものではなく、対象の「関連する人や物」あるいは「付属する物」だということです**。ですから、whoseのすぐ後には必ず名詞（関連する人や物）が来ます。上の例文では、an English teacherが「対象となる人」で、nameは「その人の名前」ということになります。ここでも、まず、「英語教師を知っているか」と聞いて、その英語教師に関する情報として、「名前がトム・クルーズである」と付け加えているわけです。

練習問題でチェック！

1. 私には、お兄さんがプロ野球選手の友だちがいます。
　☐ I have a friend **whose** brother is a (　　　) baseball player.

2. 彼女には、真っ黒でつやのある（jet-black）ネコがいます。
　☐ She has a cat **whose** (　　　) is jet-black.

3. 彼には、家族がニューヨークに住んでいるクラスメートがいます。
　☐ He has a classmate **whose** family live (　　　) New York.

会話に使えるパーフェクト英文法

まるごと覚える会話例

A: Do you know anybody that can play the piano?
B: I have a friend **whose** mother is a pianist.
A: Can she play jazz and rock at private parties?
B: I doubt it. She's a rather serious classical pianist.

訳例

A: 誰かピアノを弾ける人を知っている?
B: 友だちに、お母さんがピアニストがいるよ。
A: 個人のパーティでジャズやロックを弾くかしら。
B: 難しいね。彼女は、むしろ本格的なクラシックのピアニストだから。

練習問題の解答と解説

1.professional sが2つ続くスペリングに注意。　**2.fur** この日本語は、当然「毛が真っ黒でつやのある」と考えるので、furが入る。　**3.in** 都市に付く前置詞はinと覚える。

18 what

「彼が今朝言ったことは、ばかげていると思います」

What he said this morning seems to me ridiculous.

　ここで覚える関係代名詞whatは、会話では特によく使われる重要な文法です。まず、「～すること」や「～であること」という意味の英語として、the thing(s) whichと置き換えてみるとわかりやすいでしょう。上の例文では、What he said this morningのところは、The thing which he said this morningということですから、「彼が今朝言ったこと」となりますね。この場合、ここまでを「ひとかたまり」と考えて、この「かたまり」が、文全体の主語になっていることもわかりますね。また、Listen to what I'm going to say.(「これから言うことをよく聞きなさい」)というふうに、whatで導かれる節が文中で目的語になることもあります。いずれにしても、**whatは「～すること」という意味を英語で表現したいときに、覚えておくと役に立つ関係詞です。**

練習問題でチェック！

1. 彼女が昨晩したことは、無謀なことのように見えた。
　☐ **What** she did last night seemed so (　　　).

2. 君がこの前の春に仕上げてみようとしたことは立派でした。
　☐ **What** you tried to (　　　) last spring was just wonderful.

3. ケンが学校時代にテニスで活躍したことは、決して忘れないでしょう。
　☐ **What** Ken achieved on the tennis court (　　　) his school years will never be forgotten.

まるごと覚える会話例

A: Last night John said that he wanted to climb Mt. Everest next spring.
B: Take **what** he says with a grain of salt! **What** he bragged about last night seemed totally ridiculous!
A: But I really think he was serious.
B: He wasn't serious. He was blind drunk!

訳例

A: 昨晩、ジョンは今度の春にエベレストに登りたいって言ったのよ。
B: あいつの言うことは、話半分だよ。昨日の夜のほら話もまったくのいい加減さ。
A: でも、あの人真面目だったと思うわ。
B: 真面目じゃないさ、完全に酔っ払っていたんだよ。

練習問題の解答と解説

1.reckless 運転などが「無謀な」ときも、この単語が使える。 **2.accomplish** 類義語のachieve「成し遂げる」でもよい。 **3.during** yearsがあるので、duringという期間を表す前置詞を入れる。

19 where

「ロンドンは、多くの様々な国籍の人々に会う大都会です」

London is a big city **where** you see a lot of different nationalities.

　ここからは、関係副詞をいくつかマスターしますが、どれも関係代名詞と同様、ある対象を説明するために文をつなげるのが、その基本的な働きだと覚えておいてください。

　まず、**whereはその対象となるのが「場所」である**ということです。上の例文で、「ロンドンは大都会です」が一番言いたいことですから、それをまず英語で表現するとLondon is a big cityとなります。このときに、「大都会」はまさに「場所」ですから、関係副詞のwhereでつなげます。さらに「どんな大都会」かを説明するわけですが、**ここで大事なのは、頭のなかで「そこでは」という意識を持って、それに続く文**(you see a lot of different nationalities)**を考える**ということです。

練習問題でチェック！

1. 女の子たちは繁華街へ行って、たくさんの流行の品を買いました。
☐ The girls went downtown **where** they bought a lot of (　　　) goods.

2. 彼は、野生の自然の中で1年を過ごせる北海道の田舎へ行きました。
☐ He went to rural area in Hokkaido **where** he was able to spend the year in the (　　　).

3. 私の妹は、女性客にのみ無料ワインを出すレストランを知っています。
☐ My sister knows the restaurant **where** free wine is provided to only (　　　) customers.

会話に使えるパーフェクト英文法

まるごと覚える会話例

A: What did you do last summer?
B: I went down to the beach, **where** I worked as a lifeguard.
A: Did you have a good time?
B: Oh, it was a real blast! I hope to do it again next summer, too.

訳例

A: 夏は何をしたの。
B: ビーチへ行って、ライフガードとして働いたよ。
A: 面白かった?
B: 最高だったね。また来年の夏にやってみたいよ。

練習問題の解答と解説

1.fashionable 「流行の」を意味するもっとも一般的な形容詞。 **2.wild** wildは通例、形容詞として使われるが、in the wildの場合は名詞で、「野生の中で」という意味。 **3.female**「女性客」はfemale customerで、「男性客」はmale customerと言う。

20 when

「土曜日は、まあ暇な日です」
Saturday is the day when I am rather free.

　前項で覚えたwhereと同じ関係副詞の1つ、whenの使い方をみてみましょう。まず、**whenを使うのは、説明する対象が「時」を表す語句である**ということです。上の例文では、the dayを説明しようとするわけですが、まさにこれは、「時」ですね。ですから、whenでつなげて、その後に「どんな日」かを1つの文（I am rather free）で補足しています。

　英文を作るコツとしては、whereが「そこでは」を頭に思い浮かべたのに対し、whenは「そのときは」を頭に思い浮かべて、それに続く文を考えればよいのです。そうすれば、間違いのない英文が口から出てくるようになるでしょう。なお、次ページの会話例のように、That's the time when～のthe timeを省略して言う場合もあります。

練習問題でチェック！

1. 日本では8月は、暑くなって湿度が高くなる月です。
☐ August is the month **when** Japan really gets hot and (　　　).

2. 1923年は、東京に大震災が起こった年です。
☐ The year 1923 was the time **when** Tokyo had the (　　　) earthquake.

3. 1900年代初頭は、世界がもっと単純だった時期でした。
☐ The early 1900's was a time **when** the world was much (　　　).

会話に使えるパーフェクト英文法

まるごと覚える会話例

A: When are you planning on visiting New York City?

B: I hope to go when the cool days of Autumn roll around.

A: Then I suggest you go during mid-October. That's **when** it's still a little warm and the skies are clear and blue.

B: I guess that would be an ideal time of the year to drop by.

訳例

A: あなたは、いつニューヨークの街に行くつもり？
B: 秋の涼しさが漂い始めた頃さ。
A: じゃ、10月の半ばに行くことをおすすめするわ。そのときなら、まだ少しは暖かいし、青い空が澄んでいるわ。
B: 行くなら、そのときが1年中で一番いいよね。

練習問題の解答と解説

1.humid 「湿度が高い」という形容詞を入れる。「湿度」という名詞はhumidity。　**2.great** いわゆる「関東大震災」のこと。
3.simpler muchに注目して比較級にする。

21 why

「それで遅れて来たんですね」
That's why you came late.

ここで取り上げる関係副詞のwhyは、その説明の対象となるのが「理由」である場合のみに使います。ですから、応用範囲はそんなに広いものではありません。ただ、上の例文の**That's why〜.という表現は会話ではよく出てきます**ので、覚えておくと便利です。

さて、「理由」を英語で言うとreasonですね。ですから、この関係副詞はthe reason whyというセットがその基本だと考えてください。ただ、このthe reasonはよく省略されるのです。上の例文でもthe reasonという英語は見当たりませんね。「それが〜の理由です」という意味を表す場合は、That's why〜. の形にしてthe reasonを言わないのが普通です。

また、逆にthe reasonを残しておいてwhyを省略することもできます。下の練習問題1と2では、whyを省略してもOKです。

練習問題でチェック！

1. あんな派手な格好をした理由は何ですか。
□ What is the reason **why** you (　　　) that wild outfit?

2. 私がいつも傘を持っているのはこんな理由からです。
□ This is the reason **why** I always (　　　) an umbrella.

3. 君はどうしていつもそんなに不機嫌なのか教えてください。
□ Can you please tell me **why** you are always in such a (　　　) mood?

まるごと覚える会話例

A: I haven't seen Judy in over three years, but I know **why** she suddenly left the university.
B: Just tell me **why**.
A: Well, for one thing she was having problems at home and I heard her father lost his job then.
B: Wow! That's **why** she quit the university!

訳例

A: 3年以上もジュディと会っていないけれど、僕は彼女が突然大学を辞めた理由を知っているんだ。
B: どうしてなの。
A: ひとつには、家に問題があって、あの頃にお父さんが失業したらしいんだ。
B: えっ、それで彼女は大学を辞めたのね。

練習問題の解答と解説

1.wore この文のoutfitは「着ているもの全体」を指す。「着る」という動詞の過去形を入れる。 **2.carry** 「持ち歩く」と解釈する。 **3.bad** in a bad moodの反対は、もちろんin a good mood（上機嫌）。

22 how

「このようにしてそれが起こったのです」
That's how it happened.

　ここでは、関係副詞のhowを取り上げます。まず、説明の対象となるのは「方法」です。「方法」は英語ではthe wayです。前項の関係副詞whyの解説で、対象となるのが「理由」で、それを表すthe reasonは省略されることがある、と書きました。この項の関係副詞howはthe wayが省略されるというよりは、howに含まれていると考えてください。ですから、**使うときはいつも、That's how～.とか This is how～.の形になります。**

　また、関係副詞whyは、the reasonを残しておけばwhyは省略できたわけですが、関係副詞howの場合は、the way howという言い方はせずに、the wayに置き換えることができます。つまり、howの代わりにthe wayと言ってもいいわけで、下の練習問題では、すべてのhowをthe wayに置き換えることが可能です。

練習問題でチェック！

1. このようにして、ビートルズは非常に多くのレコードを売ったのです。
□ This is **how** the Beatles sold so (　　　) records.

2. このようにして、ラップ・ミュージックに合わせて踊るのですね。
□ That's **how** you dance (　　　) rap music.

3. 日本人に会ったときには、こうしてお辞儀をするのです。
□ This is **how** you should (　　　) when you meet a Japanese person.

まるごと覚える会話例

A: I'm impressed that teenage singer sold over five million CDs.
B: Well, I'm not. Look, she does have a terrific voice and a lot of talent, but…
A: So that must be **how** she made such a big hit.
B: That and a great agent as well.

訳例
A: あの十代の歌手が500万枚のCDを売ったなんて驚きだ。
B: そうでもないわ。確かに彼女には素晴らしい声と才能があるけれど…
A: だから大ヒットを飛ばしたってわけだね。
B: それといい事務所だからよ。

練習問題の解答と解説

1. many 数えられる名詞の前に付く。 **2. to** このtoは「〜に合わせて」という意味。 **3. bow** 発音[báu]に注意。

23 that

「まず驚いたことは、その安さだよ」
The first thing that struck me was its inexpensiveness.

　ここで、関係副詞から、また関係代名詞に戻ります。中学校や高校で、関係代名詞のthatは「人」でも「物」でも、どちらを説明するときにも使えると習ったかもしれません。でも、あなたが英語で会話をするときには、「人」のときはwhoで、「物」のときはwhichが原則だと覚えておいてください。**thatは、ある特別な状況のときに使う**ということも覚えておきましょう。その特別な状況とは、説明する対象に、次のような特定の語句が付いている場合です。the first（最初の）/the last（最後の）/the same（同じ）/the only（唯一の）/all/every/any/noなど。そして、最上級の形容詞が付いている場合です。もちろん、thatが目的格の場合は、このthatを省略してもよいわけですが、主格の場合には、ちゃんと使えるようにしておきましょう。

練習問題でチェック！

1. まず驚いたことは、その値段の安さだった。

☐ The first thing **that** shocked me was how (　　　　) the prices were.

2. 僕は彼女がそれまで会ったなかで一番綺麗な女性だと思った。

☐ I thought she was the (　　　　) beautiful woman **that** I'd ever met.

3. 次に私たちがやらなければならないことは、すぐに会議を招集することだ。

☐ The next thing **that** we have to do is to call a meeting (　　　　) away.

まるごと覚える会話例

A: Who was that girl I saw you with yesterday?

B: Oh, that was Barbara. She is a girl from the neighborhood.

A: No, I don't mean her. I'm talking about the very beautiful blonde **that** was talking outside the convenience store.

B: You mean Kathy? I go to school with her.

訳例

A: 昨日、君と一緒だったあの子は誰?

B: バーバラよ。近所の子よ。

A: いや、彼女じゃなくて、コンビニの前でしゃべっていたとてもかわいい金髪の子だよ。

B: キャシーのことね。学校に行くときは彼女と一緒よ。

練習問題の解答と解説

1.cheap ただし、この語は値段だけでなく、内容や質が「安っぽい」という意味にも使われるので要注意。 **2.most** beautifulのようなどちらかと言えば、長い単語の比較級、最上級は、それぞれmore、mostを直前に置く。 **3.right** right awayは「今すぐに」という意味の熟語。

24 whoever

「来たい人は誰でも招待するよ」
I can invite whoever wants to come.

　ここで覚えるwhoeverは複合関係代名詞と呼ばれます。本書では、この後にwhicheverとwhateverという複合関係代名詞も取り上げてありますが、複合関係代名詞は、省略することができません。使い方の理屈を理解すれば、その理由がわかるでしょう。まず、関係代名詞のwhoは説明する対象が「人」であったことを思い出してください。このwhoeverはその対象を含んでいる関係代名詞なのです。**「〜する人は誰でも」という意味ですから、anybody whoと置きかえることができます**。これを全部省略するわけにはいきません。

　当然、このwhoeverは主格ですから、このあとには動詞が続くことになります。では、目的格のときはどうかと言うと、その場合にはwhomeverを使います。ただ、実際の会話では目的格であっても、whomeverではなく、whoeverを使うことが多いので、本書ではwhoeverのみを扱っています。

練習問題でチェック！

1. 来たい人は誰でも気軽に招待しなさい。
□ Please feel (　　　) to invite **whoever** wants to come.

2. ハロウィーンなんだから、玄関に来た人には誰でもキャンディをあげてください。
□ Since this is Halloween, make sure you give candy (　　　) **whoever** comes to the door.

3. あの銀行は、駅の出口を出て来た人には誰でも無料でティッシュを配っている。
□ The bank is giving away (　　　) tissue to **whoever** comes out of the station exit.

まるごと覚える会話例

A: Let's send out 100 invitations and throw a party for **whoever** shows up.

B: But what are we going to do about people crashing the party?

A: That should be no problem. Let's just let in **whoever** comes to the front door.

B: I don't know if that's such a good idea. I don't want strangers coming into our house uninvited!

訳例

A: 100枚の招待状を送って、パーティに来たい人に開放しよう。

B: でも、パーティに押しかけて来る人はどうするの。

A: 問題ないさ。正面玄関に来る人は誰でも入れればいいさ。

B: それがいいことかどうかわからないわ。私は、招いてもいない知らない人が家に来るのはいやだわ。

練習問題の解答と解説

1.free　この文の「気軽に~する」は feel free to ~で表せばよい。　**2.to**　give+目的語+to人となる。　**3.free**　「無料の」という意味の free。

25 whichever

「月曜日でも火曜日でも、あなたに都合のいいほうを選んでください」

Either Monday or Tuesday, choose whichever suits you best.

whicheverは「〜するのはどちらでも」という意味です。「どちらでも」というぐらいですから、このwhicheverよりも前でA or Bという表現で相手に何かを提示して使うことが圧倒的に多いのです。上の例文でも、Either A(Monday) or B(Tuesday),と言ってから、choose whichever〜と続けています。なお、この例文のwhicheverは主格になっていますが、下の練習問題のように目的格も同じ形のwhicheverが使われます。

上の例文と下の練習問題を何度も声に出して言ってみて、このwhicheverの使い方をしっかりと身につけてください。

練習問題でチェック!

1. 私たちの休暇は7月か8月、あなたがいいと思うほうどちらかに取ればいいのです。
□ We should plan our vacation (　　　　) in July or August, **whichever** you like best.

2. マチネでも午後7時の上演でも、見たいほうどちらでもいいから行っておいで。
□ Go to the (　　　　) or the seven o'clock performance, **whichever** you would like to see.

3. フランス料理でもイタリア料理でも、彼が選んだほうを今晩食べよう。
□ French food or Italian, **whichever** he selects is what we'll end up (　　　) tonight.

まるごと覚える会話例

A: How would you like to go to an art gallery this Saturday?
B: Oh, I'd love to! Which one do you have in mind?
A: None, in particular. We can visit **whichever** one you like.
B: O.K. Then how about the Central Gallery?

訳例

A: 今度の土曜日に美術館に行くのはどう。
B: 喜んで。どこを考えているの。
A: 特にないよ。君の好きなところならどこでもいいよ。
B: うん。じゃ、セントラル・ギャラリーはどう。

練習問題の解答と解説

1. either 発音に注意。[íːðər]か[áiðər]である。 **2. matinee** もともとはフランス語で、「昼間の上演」のこと。 **3. eating** 「結局〜になる」を表すend upの後は〜ing形になる。

26 whatever

「私たちが外出している間は、好きなことをしていいよ」

While we are out, you can do whatever you want.

　複合関係代名詞をもう1つだけ、覚えてしまいましょう。**「～するものは何でも」という意味のwhateverです**。whoeverや whicheverのように-everが付いていますが、すでに学んだ関係代名詞のwhatを強調していると考えれば、わかりやすいでしょう。上の例文にある、「したいことは何でも」とか「望むことは何でも」という意味のwhatever you wantという表現は慣用的によく使われます。また、下の練習問題3のwhatever you doも「どんなことをするにしても」=「絶対に」という意味で、よく出てきます。

　なお、練習問題2にあるように、whateverの直後に名詞を置いて、whatever Aの形で「～するAなら何でも」というふうにも使うことができます。

練習問題でチェック！

1. 冷蔵庫を自由に使って、ほしいもの何でも気軽に食べてね。
□ Help (　　　) to the refrigerator and please feel free to eat **whatever** you want.

2. ジョンが言うには、僕らが観たい映画なら何でもいいそうだ。
□ John said that **whatever** movie we want to see is fine (　　　) him.

3. 海外を旅行するときには、何をするにしても気をつけなさい。
□ When traveling (　　　), **whatever** you do, be careful!

会話に使えるパーフェクト英文法

まるごと覚える会話例

A: What are your plans for tonight?
B: I'm thinking about going out, but I'm not sure.
A: It's getting late, so **whatever** you do, make up your mind quickly.
B: Well then, maybe I'll go over to Diane's.

訳例

A: 今夜の予定は。
B: 出かけようと思っているけど、まだわからないわ。
A: もう遅いから、何にするにしても早く決めなさい。
B: じゃ、たぶん「ダイアン」にいくわ。

練習問題の解答と解説

1. yourself help yourself to〜は命令文で「〜を自由に取って食べて（飲んで）ください」という意味。 **2. with** この文のように、fineやOKのあとに「人」がくる場合、前置詞はwith。 **3. abroad** abroadは「海外へ」「外国へ」という意味の副詞。「海外へ行く」はgo to abroadではなくて、go abroadとなる。

第3章
あれこれ迷うな前置詞(句)

　さて、ここからは前置詞を学習します。日本人にとって、この前置詞はなかなか厄介な文法だと考えている人は多いのではないかと思います。それは、多分、同じ前置詞でも多様な意味を持つからではないでしょうか。例えば、onという前置詞を取り上げても、on March 3 は「時」を表していますが、on the grassとなれば「場所」を表し、さらに on cross-cultural communicationは「〜に関して」という意味になりますね。このように、もし、前置詞の持つ意味を1つずつ検討していくと、何が何だかわからなくなってしまうかもしれません。そこで、**本書では、会話に必要と思われるいくつかの概念ごとに、用いる前置詞がどのように違うのかをマスターしてもらうことにしました。**

　同じ「時」を表すのでも、「午前10時に」は at 10 a.m.、「3月3日」は on March 3、「1953年」は in 1953ですね。この場合、**「時刻」はat、「月日」はon、「年」はin と覚えればいい**わけですね。このように、それぞれの前置詞の違いをその基本的概念ごとに理解してしまえば、実際の会話でも使い分けることが容易になると思います。それでは、この実践的な習得法にトライしてみましょう。

27 時を表す at

「午前10時に会いましょう」
Let's meet at 10 a.m.

　「時」を表すatについては、**まず第一に「時刻」を表す場合にはatを使うと覚えておきましょう**。上の例文のように、「午前10時に」はat 10 a.m.となり、また、これを聞く相手も午前か午後かわかっている場合には、a.m.やp.m.を付けずに、at 10のように、後に数字だけを言うこともあります。**なお、a.m.やp.m.は大文字にしてA.M.やP.M.でも構いませんが、必ず数字の前ではなく後に置くことを忘れずに。**日本語の順番に引きずられるせいか、A.M. 10などと表記する間違いが非常に多いので、注意してください。また、「お昼（正午）に」は、at (twelve) noonと言います。

　このatは「時」のある一点をさすわけですから、「そのときに」という表現はat that time、「20歳のときに」はat the age of 20、「3月末に」はat the end of Marchのように言うことができます。これらの表現も会話ではよく使います。

練習問題でチェック！

1. 午前9時30分に会いましょう。
□ Why don't we get (　　　) **at** 9:30 a.m.?

2. 夕食のために6時ぴったりにロビーで会うというのはどうでしょう。
□ How about meeting for dinner in the lobby **at** six o'clock (　　　)?

3. 必ず午後2時に私たちを迎えにくるように彼に言ってください。
□ Tell him to meet us **at** 2 p.m. without (　　　).

まるごと覚える会話例

A: What are our plans for today?
B: I thought we could go to the beach.
A: That sounds like a good idea. Where shall we meet?
B: Why don't we meet **at** 11:15 at Tokyo Station in front of the central exit?

訳例

A: 今日の予定は?
B: ビーチに行こうと思っていたんだ。
A: それはいいじゃない。どこで会う。
B: 東京駅の中央出口で11時15分に会いましょう。

練習問題の解答と解説

1.together get together は「前もって約束をして会う」ときに使う。なお、Why don't we ～ ?は「～しよう」という意味で会話にはよく出てくる。　**2.sharp** このsharpは副詞で、「きっかりに」という意味。時刻の後に置く。　**3.fail** このfailは名詞。without failは「失敗することなしに」→「間違いなく」→「必ず」となる。

28 時を表す on

「3月3日に出発する予定です」

I'm going to leave on March 3.

この**「時」を表すon**を覚える際には、次の3つの要素が重要ポイントです。まず、①**「月日」**です。上の例文のように「3月3日に」はon March 3となります。ちなみに「月」と「日」の順番は、アメリカ英語ではMarch 3となり、読み方はMarch (the) third、イギリス英語では3 Marchとなり、読み方はthe third of Marchです。次に②**「曜日」**を言うときもonです。「日曜日に」はon Sundayで、「月曜日の朝に」もon Monday morningです。

そして、③**「ある特定の日」**を言うときも、onを使います。「クリスマスに」はon Christmas、「おおみそかに」は on New Year's Eveとなります。

とにかく、**「日付」に関連していれば、onを使うのが基本です。**ですから、「夕方に」とか「晩に」だけならin the eveningと言いますが、「8月3日の晩に」のように具体的な日付があれば、on the evening of August 3となります。

練習問題でチェック！

1. 私は元日に生まれました。
☐ I was born **on** New (　　　) Day.

2. 今学期のレポートの締め切り日は、11月25日です。
☐ The term paper (　　　) is **on** November 25.

3. 彼女は9月1日に大学へ行きます。
☐ She is leaving (　　　) college **on** September 1.

会話に使えるパーフェクト英文法

まるごと覚える会話例

A : When are you planning on flying to Los Angeles?

B : I don't know exactly. I was going **on** May 1, but my flight got canceled.

A : That's too bad. Do you have another flight itinerary yet?

B : Well, I'm hoping to leave **on** May 5 if everything goes right.

訳例

A:ロスにはいつ飛行機で行くつもりですか。

B:はっきりとはわからないんです。5月1日に行くつもりでしたが、その便がキャンセルになってしまいました。

A:それは、いけませんね。別の便の予定はわかったのですか。

B:ええ、すべてが順調であれば、5月5日に行けると思っています。

練習問題の解答と解説

1.Year's 「おおみそか」はNew Year's Eve。　**2.deadline** 「締め切りに間に合う」はmeet the deadlineという。　**3.for** このforは「向かう先」を示している。

29 時を表す in

「私は1953年に生まれました」
I was born in 1953.

 「時」を表すinは、次の4つを覚えておけば、普通の会話で困ることはないでしょう。①**「年号」**上の例文のように、西暦(1953)をinの後に数字で並べることができます。この場合、西暦の読み方は、nineteen fifty-threeと頭から2桁ずつ区切って読みます。②**「月」**「1月に」はin January、以下2月〜12月まで同様に前置詞はinです。③**「季節」**「春に」はin spring、以下「夏に」「秋に」「冬に」は順にin summer、in fall [autumn]、in winterとなります。下の練習問題3のように、ある特定の年の季節を言う場合は、定冠詞theをつけて、in the fall of〜となります。④**「ある期間」**これはやや範囲が広いわけですが、「午前中に」「午後に」「晩に」は、それぞれin the morning、in the afternoon、in the eveningとなり、「子供時代に」「21世紀に」はそれぞれin my childhood、in the 21st centuryとなります。

 いずれにしても、**atやonに比べて長い期間を言うときに使うのがinだと覚えておきましょう。**

練習問題でチェック!

1. 私は1979年4月に大阪に着きました。
□ I (　　　) in Osaka **in** April of 1979.

2. 私たちは、1月早々に冬のトレーニングを開始します。
□ We usually begin training **in** (　　　) January.

3. 1964年の東京オリンピックは、その年の秋に開催されました。
□ The 1964 Tokyo Olympics took (　　　) **in** the fall of that year.

まるごと覚える会話例

A: When did you first come to Japan?
B: I first came to Japan **in** March of 1986.
A: Did you first arrive in Tokyo or Osaka?
B: I arrived in Tokyo **in** the early spring.

訳例

A: あなたが、初めて日本に来たのはいつですか。
B: 1986年の3月です。
A: 最初に着いたのは、東京ですか大阪ですか。
B: 春先に東京に着きました。

練習問題の解答と解説

1.arrived　arriveは、乗り物などで「到着する」ときに使う。
2.early　late Januaryと言えば「1月後半」のこと。　**3.place** take placeは、行事などが「行なわれる」という意味。

30 終点を表すby

「正午までに仕事は終わると思います」
I think I will finish my work by noon.

「終点」と言うと、ちょっと難しく聞こえるかもしれませんが、「〜までに」と置き換えてみましょう。**この「〜までに」というのは、要するに「期限」を意味しているわけです。**ですから、このbyの後に「時刻」を置いて、by 3 p.m.とすれば「午後3時までに」となり、「曜日」を置いて、by Mondayとすれば「月曜日までに」となり、「月日」を置いて、by July 7とすれば「7月7日までに」となり、そして「年」を置いて、by the next yearとすれば「来年までに」となります。

このbyは「いついつまでに」というふうに「ある期間」の終点を示しているわけですから、ある動作や状態の「締め切り」と考えてください。同じように「終点」を示す前置詞tillは、次の項で取り上げてありますので、対比させて覚えましょう。

練習問題でチェック！

1. 6時までに図書館を出なければなりません。
   □ We've got to leave the (　　　　) **by** 6 o'clock.

2. もし結婚披露宴に出席できるようでしたら、4月1日までにお知らせください。
   □ Please inform us **by** April 1 if you are going to (　　　　) the wedding reception.

3. 明日朝食が食べられるかどうか、今晩中に必ず教えてください。
   □ (　　　　) sure you let me know **by** tonight if we can have breakfast tomorrow.

まるごと覚える会話例

A: Oh, no! The alarm clock didn't go off and I've got to be in the office **by** 9 o'clock!

B: Well, hurry up! If you catch a taxi, you can easily be there **by** then.

A: Take a look out the window at the sky.

B: Wow! It's raining cats and dogs! You'd better hurry up.

訳例

A: いけない、目覚まし時計が鳴らなかった。オフィスに9時にはいなければならないんだ。

B: じゃ、急いで。タクシーをつかまえれば、その時間までには着くわ。

A: 窓から空を見てみろよ。

B: あら、どしゃぶりね。急いだほうがいいわ。

練習問題の解答と解説

1.library スペリングに注意。 **2.attend** 「参列する」という意味で、もっとも一般的に使われる。 **3.Make** make sureのあとにthatが省略されている。

31 終点を表す till

「正午までここにいるわ」
I will be here till noon.

前項で「終点」を表すbyを学びました。**ここで取り上げるtillは、同じ「終点」と言っても、ある動作や状態が続いていることが前提です。**ですから、**「〜までは」**という日本語をあててみるとわかりやすいでしょう。例えば、上の例文では「正午までは、ここにいる」けれど、そのあとはわからない、つまり、少なくとも「今から正午まではずっとここにいる」ということを示しているわけです。

なお、tillとuntilは、まったく同じように使われますが、文頭ではどちらかと言えば、untilのほうがよく使われます。「あなたは何時までここにいますか」を英語で言うとすれば、Until what time will you be here?となります。

練習問題でチェック！

1. 日が沈むまで外にいよう。
☐ Let's stay outside **till** (　　　).

2. 彼は先週、毎日午後6時まで図書館で勉強した。
☐ He studied **till** 6 (　　　) at the library every day last week.

3. チケットは3時頃までなら手に入るよ。
☐ You can still get tickets **till** about three (　　　).

会話に使えるパーフェクト英文法

まるごと覚える会話例

A: How late does the hotel serve breakfast?
B: You can eat breakfast **till** about 10 o'clock.
A: I'm not going to be able to come downstairs **until** after 11.
B: Then I suggest going to the hotel coffee shop for an early lunch.

訳例

A: ホテルでは何時まで朝食を出してくれるのかな。
B: 10時くらいまでなら大丈夫よ。
A: 11時過ぎまで降りて来れないよ。
B: じゃ、ホテルのコーヒーショップに行って早めの昼食を取ることね。

練習問題の解答と解説

1. sunset 「日の出」はsunrise。 **2. p.m.あるいはP.M.** 数字の前ではなく、後に置くこと。なお、最近、特にイギリス英語ではピリオドをつけないことが多い。 **3. o'clock** ここでは、「午前」や「午後」と明示していないので、a.m.やp.m.ではなく、o'clockを入れる。なお、このo'clockは省略しても文の意味は通じる。

32 起点を表すsince

「1980年以来、彼には会っていません」
I haven't seen him since 1980.

　ここの「起点」を表すsinceは、日本語で「〜以来」と置き換えて考えるとわかりやすいでしょう。「〜以来」の「〜」という始まりの部分をsinceの後に置いて使います。「〜以来」というからには、このsinceは現在完了形とともに使われることが多くなります。上の例文で、1980年が「起点」で、「それ以来ずっと会っていない」というのですから、当然、I haven't seenという現在完了形になるわけですね（現在完了形についてはp.161を参照してください）。このように**現在完了形で「継続」を表している場合には、前置詞はfromではなくsinceを使う**と覚えておきましょう。「彼は、先週の水曜日以来ずっと休んでいる」は、どう言えばよいでしょうか。He has been absent since last Wednesday.となりましたか。

練習問題でチェック！

1. 子供のとき以来、ヒッチコックの映画は見ていない。
□ I haven't seen a Hitchcock film **since** my (　　　　).

2. 彼女とは、彼女に赤ちゃんが生まれたとき以来会っていない。
□ I haven't met her **since** the (　　　) of her baby.

3. ニューヨーク・ジェッツは1969年以来スーパーボウルで勝っていない。
□ The New York Jets haven't (　　　　) the Super Bowl **since** 1969.

まるごと覚える会話例

A: Where are you going next week?
B: We're going down to Beppu.
A: It's been ages **since** I was down there.
B: Well, since you haven't been there in a long time, why don't you join us?

訳例

A: 来週、どこに行くの。
B: 別府に行くんだ。
A: 別府には、もう何年も行っていないわ。
B: じゃ、君も長いこと行っていないなら、一緒に行こうよ。

練習問題の解答と解説

1.childhood 「子供時代」という意味。 **2.birth** 「生まれる」→「誕生」と考える。 **3.won** winの過去分詞はwon。

33 起点を表す from

「あのレストランは、午前10時から午後11時まで開いています」

That restaurant is open from 10 a.m. to 11 p.m.

ここの「起点」を表すfromは、日本語で「〜から」という意味で、「時間」や「順序」の始まりを示しています。 sinceとの大きな違いは、「〜から〜まで」という意味でfrom A to Bの形でよく使われるということです。つまり、sinceは「継続」している動作や状態を表すときに使うので、その「終点」は「今現在まで」という感じが強いのに対して、fromはあくまで「起点」のみを示していますから、その「終点」はtoなどで別途示さなければわからない、ということです。

しかし、このfromはsince以上に「起点」としての応用範囲は広い前置詞です。例えば、I'm from Hokkaido.というときは「**出身**」を表していますし、I got a letter from my good friend.と言えば「**出所**」を、さらに、Wine is made from grapes.では元となった「**材料**」を表しています。

練習問題でチェック！

1. スキーシーズンは、12月初旬から3月一杯までです。
☐ The skiing season begins **from** early December (　　　) March.

2. 私の家族は、かつて列車でスペインからブルガリアまで旅行しました。
☐ My family once traveled **from** Spain to Bulgaria by (　　　).

3. あのコンビニは午前6時から午後11時まで毎日オープンしています。
☐ The convenience store is open **from** 6 a.m. to 11p.m. (　　　).

まるごと覚える会話例

A: How wide an area will the geographical survey cover?
B: The survey will cover **from** Akita to Mie Prefectures.
A: Then about how much time are you planning to spend on this project?
B: It's going to take us **from** September through July to finish it.

訳例

A: その地勢調査はどの程度の範囲を調べるのですか。
B: 秋田県から三重県までです。
A: このプロジェクトにはどのくらいの時間をかける予定ですか。
B: 終了するまでには、9月から翌年の7月一杯かかるでしょう。

練習問題の解答と解説

1.through 「～を通して」と考える。 **2.train** 乗り物などの手段を表すときは無冠詞。 **3.daily** このdailyは形容詞ではなくて副詞。

34 期間を表す for

「私は、当地に5年間住んでいます」
I have lived here for five years.

この「期間」を表すforは、ある動作や状態がどのくらい続いたかを示す前置詞として使います。ですから、**forの後には具体的な「長さ」を示す語句が続くことになります。**上の例文のように、「5年間」は具体的な長さですから、for five yearsでOKですが、例えば、「夏休みの間」とか「夕食の間」というのは具体的な長さが明示されていませんので、for the summer vacationやfor dinnerとは言えません。次の項で取り上げるduringを使って、during the summer vacationやduring dinnerと表します。

なお、**forは上で述べた原則（具体的な長さを伴った期間を表す）にしたがっていれば、現在形、過去形、未来形、現在完了形など、どんな時制でも使うことができます。**

練習問題でチェック！

1. 私は、これまで8年間このカントリークラブのメンバーです。
□ I have been a member of this country club **for** the (　　　) eight years.

2. タクシーは、20分間ずっと渋滞に巻き込まれている。
□ The taxi has been stuck in (　　　) **for** the past twenty minutes.

3. 彼はあの映画では、端役としてたった20秒間だけ出演した。
□ He had a bit-part in the movie **for** only twenty (　　　).

まるごと覚える会話例

A: How long have you lived in Japan?
B: I've lived here **for** about ten years.
A: Don't you ever get homesick?
B: Not really. I usually go back to the States every spring.

訳例

A: 日本に住んでどのくらいですか。
B: ほぼ10年です。
A: ホームシックになりませんか。
B: それほどでもないですよ。春先にはアメリカに帰っていますから。

練習問題の解答と解説

1. past このpastの前のtheを落とさないように。　**2. traffic** 無冠詞であることに注意。　**3. seconds** 「秒」はsecondで、「分」はminute。

35 期間を表す during

「夏休みにはやることがたくさんある」
I have many things to do during the summer vacation.

この「期間」を表すduringは、**ある特定の期間のことを指して使います**が、大きく分けて次の2点がポイントです。まず、**①その期間中、ある動作や状態がずっと続いている場合**です。上の例文では、「夏休みの間にはやることがずっとある」ということですね。それに対して、**②その期間のなかで、あるときだけ、動作や状態が起こった場合**です。下の練習問題3では、「母が夕食中にずっと怒っていたわけではなくて、夕食中のある時点で怒ってしまった」ということです。

いずれにしても、「夏休みの間」とか「夕食中」とか、ある特定の期間のことを示す場合にduringを使うということを覚えておきましょう。

練習問題でチェック！

1. お正月休みには、たいていテレビをよく見ます。
□ We usually (　　　) a lot of television **during** the New Year's vacation.

2. 授業の休み時間に何か食べるものを必ず手に入れてくださいね。
□ Make sure you get something to eat **during** the (　　　) between classes.

3. 母は夕食中にかんかんになってしまい、怒りのあまり席を立ってしまった。
□ Mother got very upset **during** dinner and left the table in (　　　).

会話に使えるパーフェクト英文法

まるごと覚える会話例

A: **During** the play's intermission I'm going to get something to eat. Would you like anything?

B: No. I'm not very hungry right now. I think I'll wait until later.

A: Don't you think that will be difficult once the play starts?

B: Oh, don't worry. I'll probably get Coke or something after the performance.

訳例

A: 芝居の休憩中に何か食べるものを手に入れるつもりだけど、何かいる？
B: いいえ、今はそんなにお腹がすいていないから、あとにするわ。
A: 芝居が始まってからでは、買えないよね。
B: だいじょうぶよ。芝居が終わってからコーラか何か飲むわ。

練習問題の解答と解説

1. watch テレビなどを「見る」のはwatch。 **2. break** breakは名詞で「小休止」のこと。 **3. anger** 冠詞は付けない。

36 期間を表すthrough

「冬休みは、ずっとハワイで過ごすつもりです」

I'm going to stay in Hawaii through the winter vacation.

　前項で、duringは、①その期間中、ある動作や状態がずっと続いている場合に使うことを述べましたが、**ここのthroughは、**その意味をもっと強調したい場合に使います。つまり、**その特定の期間は「初めから終わりまで」動作や状態が続いたという**ことになります。下の練習問題1では、「4月25日は朝から晩までずっと」ということです。

　また、このthroughにはduringにない特徴として、ある期間や範囲の終わりを示すということがあります。下の練習問題3では、「詰め込み勉強は1月末までやる」ということですから、ここにthroughを使うことができるわけです。

練習問題でチェック！

1. スミス氏は、4月25日は1日中出張でオフィスにはいません。
□ Mr. Smith is going to be away from the office (　　　) business **through** April 25.

2. 私はクリスマス休暇中はお腹の手術を受けているでしょう。
□ I'm going to have some abdominal (　　　) **through** the entire Christmas holidays.

3. 学生は、4月から翌年の1月末まで入試のための詰め込み勉強をすることになっています。
□ The students are going to (　　　) for the entrance exams from April **through** the following January.

会話に使えるパーフェクト英文法

まるごと覚える会話例

A: Would you like to join me for dinner next week?
B: Thanks. I'd love to, but I'm going to be down in San Diego.
A: How long are you going to be gone?
B: I'll be gone from the 16th **through** the 23rd.

訳例

A: 来週夕食でもご一緒にどうですか。
B: ありがとう。行きたいけど、サンディエゴまで行くことになっているのよ。
A: どのくらい行っているのですか。
B: 16日から23日までなの。

練習問題の解答と解説

1.on　「仕事で」という意味。　**2.surgery**　surgeryには「外科」という意味がある。　**3.cram**　「詰め込む」はcramがぴったり。cram schoolと言えば「予備校、学習塾」のこと。

89

37 時の経過を表すin

「彼は数日したら戻ってくるでしょう」
He will come back in a few days.

この「時の経過」を表すinは、普通「(今から)～たつと」という意味で使われます。 これが基本です。上の例文を見てください。日本語の意味は「数日たったそのときには」と解釈できますね。こういうときに、in a few daysと言うわけです。ですから、未来のことを言うとき、「そのときには～しているだろう」という意味で、このinがよく使われることがあります。「10分後に玄関で会いましょう」を英語にする場合でも、「10分たったら」と解釈して、Let's meet at the entrance in 10 minutes.と言うことができます。

実は、このinは、もう1つ「～たつまでに」という意味で使われる場合があります。I can finish my homework in an hour.は「1時間たつまでには」ということです。しかし、このように「時の経過の途中で」を示したいならば、はっきりと「～以内で」という意味のwithinを使うほうが、誤解を招かないでしょう。

練習問題でチェック！

1. 母は買い物に行っていますが、数時間で戻ってくるでしょう。
□ Mother's gone (　　　) and will be back **in** a few hours.

2. くつろいでくださいね。すぐに戻ってきますから。
□ Make yourself at (　　　). I'll be with you **in** a minute.

3. 酷暑の夏はあっという間に終わりです。
□ The scorching days of summer will be over **in** (　　　) time at all.

まるごと覚える会話例

A: Where's Dad?
B: He's gone to pick up the girls at ballet class.
A: When will he be back?
B: He'll be back **in** about twenty minutes.

訳例

A: お父さんはどこ。
B: バレエのクラスの女の子たちを迎えにいったわ。
A: いつ戻ってくるかな。
B: ほぼ20分後には戻るわよ。

練習問題の解答と解説

1. shopping 「買い物に行く」をgo for shoppingなどと前置詞を入れたりしないように。 **2. home** at homeで「くつろいで」「気楽に」という意味。 **3. no** ここのin no time at allは熟語として覚えてしまおう。

38 時の経過を表すwithin

「1時間以内に帰ってきなさいよ」
You should come back within one hour.

「時の経過」を表すwithinは、「〜以内に」という意味で使います。ですから、within one hourと言えば、「今から1時間以内」ということで、時間のある範囲を限定することになります。そして、ある動作が行なわれるのが、その範囲の中ならばいつでもよいということです。いわば、安全策として「一番遅くとも1時間後」だと言っているわけで、withinに続く語句が、ぎりぎりの期限を示していることになります。

前項と合わせて復習しておきましょう。**「〜たったそのときに」はinを使い、「〜以内に」はwithinを使う、**ということです。この基本的な違いがしっかり頭に入っていれば、inとwithinを使い分けられるでしょう。

練習問題でチェック！

1. 郵送小包は1週間以内に受け取ることができるでしょう。
   ☐ You can (　　　) the package in the mail **within** one week.

2. あと10分かそのくらいで、太陽が昇るはずです。
   ☐ The sun should (　　　) **within** the next ten minutes or so.

3. バーゲンセールで買い物をしたいなら、開店後30分以内にデパートに着かなければなりません。
   ☐ We must be at the department store **within** the first thirty minutes of (　　　) if we hope to get any real bargains.

まるごと覚える会話例

A: What's the fastest way to mail this package to London?
B: Well, the quickest way is by express mail.
A: How long will it take?
B: It should arrive **within** four or five days.

訳例

A: この小包をロンドンに送る一番速い方法は何かな。
B: そうね、速達便が一番よ。
A: どのくらいかかるの。
B: 4日か5日以内に着くはずよ。

練習問題の解答と解説

1. receiveあるいはget　receiveのスペリングに注意。
2. rise　riseは自動詞で「上がる」、raiseは他動詞で「上げる」。
3. opening　opening hoursと言えば「営業時間」のこと。

39 場所を表す at

「東京ドームの30番ゲートでお待ちします」
I will be waiting for you <u>at</u> gate 30 of the Tokyo Dome.

　この「場所」を表すatは、特に「ある地点」を意味するときに使われます。「地点」ですから、基本的には**狭い場所**ということになります。上の例文では、「30番ゲート」は、東京ドームのなかのある1地点ですね。下の練習問題1も2も、ある建物の中の1地点と考えられます。でも、練習問題3はどうでしょう。東京駅は狭くはないのですが、ここでも話者の意識としては、場所の広さよりも東京駅を日本中の、いやあるいは世界中の中の「ある地点」と考えているので、at Tokyo Stationとすることができるわけです。

　要するに、**場所の広さよりも、その場所を1地点として考えることができればatを使うことができる**と覚えておきましょう。

練習問題でチェック！

1. 彼女は、そのビルの受け付けであなたを待っているでしょう。
□ She will be waiting for you **at** the (　　　) desk of the building.

2. 私たちは、日本航空のチェックインカウンターであなたを待っています。
□ We will be (　　　) you **at** the JAL ticket check-in counter.

3. たまたま、私の英語の先生と東京駅で会いました。
□ I (　　　) to meet my teacher of English **at** Tokyo Station.

94

会話に使えるパーフェクト英文法

まるごと覚える会話例

A: Where do you want to meet tomorrow?
B: Let's meet **at** the Hachiko statue in Shibuya.
A: What do we do if it's raining?
B: In that case let's meet inside the station **at** the ticket machines.

訳例

A:明日はどこで会うつもりですか。
B:渋谷のハチ公のところにしましょう。
A:もし、雨が降ったらどうしますか。
B:その場合には、駅の中の切符販売機のところにしましょう。

練習問題の解答と解説

1.frontあるいはreception　front deskは主にアメリカで使われ、reception deskは主にイギリスで使われる。　**2.expecting**　meetingと言ってもよいが、expectingのほうが「待っている」というニュアンスが出る。　**3.happened**　「たまたま〜する」はhappen to〜と言えばよい。

95

40 場所を表す on

「あそこの芝生に座ろうよ」

What do you say to sitting <u>on</u> the grass over there?

前置詞onには、「～の上に」という日本語があてられることが多いわけですが、いつも「上に」と言わなくても、**何かの表面に「くっついている」あるいは「のっかっている」イメージがあればon を使うことができます**。「机の上に」はon the desk、「壁に」はon the wall、「天井に」はon the ceilingですね。要するに、ある場所と「接触」していることが基本です。他にも、「1階で」はon the first floorと言えばよいわけです。

例えば、このonには「接触」のイメージがあることを覚えておけば、次のような前置詞の違いもよくわかるでしょう。「川で泳ぐ」はswim in the riverのように前置詞はinを使い、「川に燈篭（とうろう）を浮かべる」は float a lantern on the riverのように前置詞はonを使います。

練習問題でチェック！

1. 午前8時に電車のプラットフォームで会うというのはどう。
   □ How about meeting **on** the train (　　　　) at 8 a.m.?

2. 午後6時にサンセットとヴァインの角で会いましょう。
   □ Why don't we meet **on** the (　　　　) of Sunset and Vine at 6 p.m.?

3. 1階のエレベーターのそばで会いましょう。
   □ Can we get together by the (　　　　) **on** the first floor?

まるごと覚える会話例

A: What do you say to meeting for brunch on late Sunday morning?
B: That's a terrific idea! How about meeting around noon at the bus stop by your house?
A: I've got a better idea. Why don't we meet **on** the bus?
B: Good thinking! We can save thirty minutes that way!

訳例

A: 日曜日の朝遅くにブランチはどう。
B: いいわね。あなたの家の近くのバス停でお昼ころ会うのはどうかしら。
A: もっといい考えがあるよ。バスの中で会おうよ。
B: 賢いわね。30分は稼げるわ。

練習問題の解答と解説

1.platform 例えば、プラットフォームの「5番線」はplatform 5という語順であり、数字が後に置かれることを覚えておこう。
2.corner 「AとBの角」という場合、on the corner of A and Bとなる。 **3.elevatorsあるいはlifts** 前者はアメリカ英語で後者はイギリス英語。

41 場所を表す in

CD 21

「私の部屋にこれ以上本を置くのは難しい」
It's difficult to put more books in my room.

「場所」を表す前置詞inは、「～の中に（で）」がその基本の意味です。扱う広さは、大小まちまちで、「手の中に」はin one's hand、「ロンドンで」はin Londonと表します。いずれにしても、**その場所の中にいる（ある）ということを意識しているときに、inを使います。**ですから、同じ場所でもatと言えば「地点」を意味するのに対し、inと言えばもっと漠然と大きな場所を意味することもあります。

例えば、「空を見よ」はLook at the sky.ですが、これは「空のある地点」を意識しています。それに対して「空には、雲ひとつなかった」はThere's no cloud in the sky.となり、「空全体」を指していることがわかります。

練習問題でチェック！

1. お宅の地下に6ヵ月間、これらの箱を置いておくことができますか。
☐ Do you think I can (   ) these boxes **in** your basement for about six months?

2. 大学卒の資格がないと、実社会でやっていくのは難しいかもしれない。
☐ Without a college (   ), it might be difficult to make it **in** the real world.

3. 大工さんは、台所にキャビネットを作るのにもっとスペースを必要としている。
☐ The carpenter needs to make more (   ) **in** the kitchen for cabinets.

会話に使えるパーフェクト英文法

まるごと覚える会話例

A: You need to move those books to the other side of the house.
B: I'm sorry. I thought you said they had to go here.
A: No, I meant **in** the library, not the kitchen.
B: O.K. I'll take them there in a minute.

訳例

A: それらの本は家の反対側に移さなければだめよ。
B: ごめん。ここに持ってくるように言ったと思ったんだ。
A: 台所ではなくて、書庫の中にと言ったのよ。
B: わかったよ。すぐに持っていくよ。

練習問題の解答と解説

1.store storeは動詞で「しまっておく」「保管する」という意味。 **2.degree** degreeは、「学士」「修士」「博士」のどれをも表す。 **3.space** 複数形にはしないこと。

42 位置(上)を表すup

「先日、私の5歳になる娘の知実も富士山に登りました」

My five-year old daughter, Tomomi, also went up Mt. Fuji the other day.

この前置詞upは、up=「上」とだけ覚えるのではなく、むしろ「下から上へ」という動きのあるイメージで考えるとよいでしょう。つまり、このupには「より高い位置への」動きを伴うイメージがあるということです。何かに沿って、ずっと上昇していく感じです。上の例文では、go up Mt. Fuji=「富士山を下から上に行く」=「富士山に登る」ということですね。この意味のupの反意語はdownで、「上から下へ」のイメージがあります。

なお、upは副詞としてもよく使われ、up until yesterdayならば「昨日まで」という意味で、up to page 50ならば「50ページまで」という意味です。

練習問題でチェック!

1. 上にあがってくるときに洗濯物の山を必ず持ってきてね。
□ Be sure to bring a load of (　　) **up** when you come upstairs.

2. 彼はいつもエレベーターを使わずに階段を登ることにしている。
□ He always (　　) it a point to climb **up** the stairs instead of using the elevators.

3. あの山に登るのにどれくらいかかるか考えてみてよ。
□ Just how long do you think it will (　　) us to climb **up** that mountain?

まるごと覚える会話例

A: What position does John have in the company?
B: He's already made executive vice president.
A: That's great! I'm impressed at how fast he climbed **up** the corporate ladder!
B: He's gone **up** faster than anybody I've ever known!

訳例

A: ジョンは会社でどの地位にいるの。
B: もう副社長だよ。
A: すごいじゃない。彼のスピード昇進には驚きだわ。
B: 僕が知っているなかで、一番速いよ。

練習問題の解答と解説

1.laundry laundryは「クリーニング店」を意味することもある。発音は「ランドリー」ではなく、[lɔ́:ndri]である。 **2.makes** make it a point to～で「必ず～することにしている」という意味で、これはmake a point of ～ingとしても同じ。 **3.take** 「時間がかかる」を表すには、動詞のtakeを使う。

43 位置(上)を表すabove

「私たちは地平線の上に太陽が昇っていくのを見た」

We saw the sun rising above the horizon.

前置詞aboveは「〜の上のほうに」という意味が基本です。上の例文のように「太陽の位置が地平線よりも上にある」という「位置関係」を表すときに使います。この場合、太陽と地平線が「接触していない」ことが前提です。この意味の反意語は、belowです。また、「位置関係」だけでなく、「数量や地位などが上」の場合にも使われることがあり、above averageで、「平均よりも上」という意味です。

また、above allという熟語は、「特に重要なことは」という意味で、Above all, don't forget to call him.(「とにかく、彼に電話するのを忘れないで」)のように使います。

練習問題でチェック！

1. 通りの上にいくつもの製品を広告している掲示板を見ましたか。
□ Did you see the (　　　) **above** the streets advertising numerous products?

2. ボートにいる私たちは、海底からダイバーたちが泡をあげているのは見ることができなかった。
□ From the boat we couldn't see the scuba divers' (　　　) rising **above** the ocean bottom.

3. 彼は山の上の素晴らしい日の出を眺めずにはいられなかった。
□ He couldn't help (　　　) view the incredible sunrise **above** the mountains.

まるごと覚える会話例

A: How long before we can take a rest?
B: We've got to make the summit before sunset. Keep climbing to the other side of those big rocks.
A: Will it be much farther after that?
B: No. The second station is just **above** that rock face by about 100 meters.

訳例

A: どのくらいで休めるの。
B: 日没までに頂上を極めなければならないので、あの大きな岩の向こう側まで登り続けよう。
A: そのあとはまだずいぶんあるの。
B: いいや。あの岩からだいたい100メートル上が第2基地だよ。

練習問題の解答と解説

1.billboards ビルの屋上や郊外の畑の中などで、広告などをデカデカと掲示してあるものをbillboardと言う。billは広告のチラシのことであるから、それが掲示板の形になったものと考えればわかりやすい。 **2.bubbles** スペリングに注意。 **3.but** can't help but〜で、「思わず〜してしまう」という意味で、これはcan't help 〜ingと言っても同じ。

44 位置(上)を表す over

「川にかかっている橋の1つが、地震のせいで崩れ落ちた」

One of the bridges over the river collapsed because of the earthquake.

このoverは、A over Bで「AがBの上にある」状態を示します。 この場合、AとBは接触していても、あるいは離れていてもよいのですが、どちらかと言えば「覆い被さった」状態でAがBの上にあるときに使います。上の例文を見れば、川の上に橋がかかっているわけですから、この「覆い被さった」状態はイメージできますね。この意味の反意語は、underです。

また、「彼は、塀を飛び越えた」は、He jumped over the fence.というふうに、特に動きを表す場合には、overを使うことも覚えておきましょう。

練習問題でチェック!

1. 川にかかっているあの古い橋は、アツアツの2人には有名なスポットです。
☐ That old bridge **over** the river is a famous spot for couples (　　) love.

2. 昨日ビルの足場がバキンと折れて、3人がケガをした。
☐ The scaffolding **over** the building (　　　) yesterday injuring three people.

3. 壁の上に貼ったそれらのポスターは、過激な政党のものである。
☐ Those posters (　　　) **over** the wall are for a radical political party.

会話に使えるパーフェクト英文法

まるごと覚える会話例

A: How are you going to get into the party?
B: Well, since I don't have a ticket, I'm planning on climbing **over** the back fence and sneaking in.
A: Isn't that a little dangerous?
B: I don't care. If I get caught, I'll just say I was only doing some exercise.

訳例

A: どうやってパーティに入るつもり。
B: チケットを持っていないから、後ろの垣根を越えて忍び込むつもりさ。
A: ちょっと危険じゃないの。
B: かまうもんか。もしつかまったら、ちょっと運動をしていただけと言うさ。

練習問題の解答と解説

1.in　be in loveで「恋している」「愛している」という意味。loveの前に冠詞は付けない。　**2.snapped**　snapは何かが「折れたり、壊れたりすること」を表すが、「パチン」とか「ポキン」などのような音を伴った擬態語のイメージが強い。　**3.plastered**　壁などに何かを「貼る」場合に使うのがplaster。

105

45 位置(下)を表す down

「私たちは川くだりをして楽しんだ」
We enjoyed sailing down the river.

「〜の下のほうに」を表すのが、downです。これは、すでに述べたように、upの反意語です。ですから、upが何かに沿って「上昇」していくのに対して、**downは何かに沿って「下降」**していく感じです。このことは、「高いほうから低いほうへ」とも言い換えることができるので、run down the stepsと言えば、「階段を駆け降りる」ということです。とにかく、downの基本の意味は「上から下のほうに」であることを忘れないようにしましょう。

なお、このdownはupと同様、副詞としての機能もあり、練習問題3のように、動詞＋副詞の形でよく使われます。

練習問題でチェック！

1. 学生は皆ボートで急流くだりをするのが好きだった。
☐ The students all loved shooting **down** the river (　　　) in boats.

2. 消防士たちは素早くはしごを滑り降りた。
☐ The firemen quickly climbed **down** the (　　　).

3. 彼女は見つからないように低くかがみ込んだ。
☐ She crouched **down** very low to (　　　) being discovered.

まるごと覚える会話例

A: What's it like climbing Mt.Fuji?
B: It's really a lot easier than it appears.
A: What's the hardest part?
B: Probably climbing **down** is the roughest.

訳例

A:富士山に登るのはどんな感じですか。
B:見た目よりは簡単ですよ。
A:一番難しいのはどこですか。
B:たぶん降りるのが大変ですよ。

練習問題の解答と解説

1.rapids　rapidは形容詞ならば運動や動作が「速い」という意味だが、ここのように名詞で複数形になれば「急流」を意味する。
2.ladder　ladderは比喩的に「出世の階段」という意味でもよく使われる（p.101の会話例を参照）。　**3.avoid**　avoidは後に動詞の〜ing形を取ることを覚えておこう。

46 位置(下)を表すbelow

「彼は成績は僕より下でした」
He was below me in class.

このbelowは、aboveの反意語で、「～の下のほうに」という意味がその基本です。そして、aboveと同様、「位置関係」だけでなく、「数量」や「地位」「順位」などを表すときにも使えます。「零下10度」は、10 degrees below zeroと言えばよいわけです。

また、「下」と言っても、必ずしも「真下」でなくても使うことができるのですが、**「離れていること」が原則です。「くっついている」場合は、underを使わなくてはなりません。**

練習問題でチェック！

1. バスケットボールの能力では、日本人はアメリカ人よりずいぶん下のように思われる。
□ The Japanese seem to be well **below** the Americans (　　　) basketball ability.

2. 雪崩が起こったとき、幸運にも登山者たちは樹木限界線よりも下にいた。
□ Luckily the climbers were **below** the tree line when the (　　　) started.

3. 彼はクラスの成績順位では彼女のずっと下にいた。
□ He was way **below** her in the class academic (　　　).

まるごと覚える会話例

A: What's your grade point average?
B: I'm around a 2.0 out of 4.0.
A: That's kind of low, isn't it?
B: It's a little **below** average, but I'm majoring in mathematics.

訳例

A: あなたの学業平均値はいくつ。
B: 4.0のうち2.0あたりだよ。
A: 結構低いのね。
B: 平均より少し低いけど、僕は数学を専攻するつもりなんだ。

練習問題の解答と解説

1.in このようにin 〜 abilityで、「〜の能力において」という意味。 **2.avalanche** 発音に注意。[ǽvəlæntʃ]と最初のaにアクセントを置く。 **3.standing** このstandingは何かの「ランク」を表すときに使う。

47 位置(下)を表すunder

「あのビーチパラソルの下に行きましょう」
Shall we go under that beach umbrella?

このunderは「〜の下に」という意味で使われますが、どちらかと言えば「すぐ下に」とか「真下に」というニュアンスです。上の例文や下の練習問題のように、「傘」や「橋」などの「下に」というときに使います。このunderの反意語はoverですから、underには「上から覆い被せられている」イメージがあります。ですから、A under Bは「Bの下にAが覆い被せられている」状態のことです。「新車はいつもカバーをかけてある」は、The new car is always under a cover.とすればいいですね。

練習問題でチェック！

1. くそ暑いな。ビーチパラソルを借りてもぐり込もう。
□ It's hot as hell! We'd better (　　　) a beach umbrella to sit **under**.

2. 鉄道の橋の下で釣りをしてみよう。
□ Shall we try (　　　) **under** the railroad bridge?

3. 雨をしのぐためにあの店の軒下にいましょう。
□ Let's (　　　) **under** the roof of that shop in order to avoid the rain.

会話に使えるパーフェクト英文法

まるごと覚える会話例

A: It's starting to rain! Let's take shelter **under** that tree.

B: No, that's a bad idea. We should try to run to the house.

A: Are you crazy! The house is over 400 meters away. We'll get drenched.

B: That's a lot better than getting hit by lightening!

訳例

A: 雨が降ってきたよ。あの木の下で雨宿りしよう。

B: それはだめよ。家まで走っていったほうがいいわ。

A: 何言っているんだい。家は400メートル以上先だから、ずぶ濡れになるよ。

B: 雷に打たれるよりはマシよ。

練習問題の解答と解説

1.rent 「借りる」はrentだが、「貸す」側がfor rentという掲示を出す場合があるので、要注意。　**2.fishing** tryの後には動詞の〜ing形がくる。　**3.stay** stayは意味する範囲が広く、「一泊する」場合でも使えるし、「短時間そこにいる」場合でも使える。

48 位置(前)や順序(前)を表すbefore

「私の前にいる男の子が騒がしかった」
The boy before me was very noisy.

基本的に、**「位置が前」や「順番が前」はbeforeで表すことができます**。「私の前に座る」は、sit before meで、「食事の前に手を洗いなさい」は Wash your hands before meals.となります。「〜の前に」がその基本概念と覚えておけば、使い方はそんなに難しくはないですね。なお、このbeforeの反意語はafterです。

練習問題でチェック！

1. 私の前に並んでいた女性が気を失いかけた。
   □ The woman in line **before** me started to (   ).

2. 日本語では、名字が名前の前にきます。
   □ (   ) names come **before** first names in Japanese.

3. 私の目の前に現れた女の子たちは、とても知性的な感じがした。
   □ The girls who came **before** me seemed to be very (   ).

まるごと覚える会話例

A: Did you guys enjoy the movie?
B: It was just so-so. The people sitting **before** us were always talking.
A: Why didn't you tell them to be quiet?
B: Because they were a group of guys who looked pretty big and mean!

訳例

A: 君たち、映画は面白かったの。
B: まあまあだね。僕らの前にいる人たちがずっとおしゃべりしていたんだ。
A: 静かにしてって言わなかったの。
B: だって、奴ら大きいし、タチが悪そうだったんだ。

練習問題の解答と解説

1.faint 日本語では「フェイントをかける」などと言ったりするが、英語のfaintにはそのような意味はない。　**2.Family** 「名字」は1語でsurnameとも言う。　**3.intelligent** 他に、brightやbrilliantなども同意語。

113

49 位置（前）を表す in front of

「彼女は高校の先生の前で講演をしました」

She gave a lecture <u>in front of</u> some high school teachers.

　まず、**この in front of という前置詞句は、あくまで「位置が前」のときだけに使います**。前項の before とは違って「順番が前」のときには使えません。また、上の例文のように、「真正面に向きあう」ときには、この in front of を使います。もちろん、この場合に before は使えないわけではありませんが、順番と誤解されないためにも、「正対している」位置関係を表すときには in front of を使うと覚えておきましょう。

練習問題でチェック！

1. 突然彼女は、クラスの皆の前で笑い始めました。
   ☐ She suddenly started (　　　　) **in front of** the entire class.

2. そのお客は、本社のスタッフがいる前で怒り始めた。
   ☐ The customer started to get very (　　　　) **in front of** the front office staff.

3. 拳銃の打ち合いがまさに警察の目の前で起こった。
   ☐ The gun fight (　　　　) out right **in front of** the police station.

114

会話に使えるパーフェクト英文法

まるごと覚える会話例

A: Where do you plan to park your car?
B: I don't know. This neighborhood seems pretty crowded. Do you have any suggestions?
A: If you wait a few minutes more, you can probably park **in front of** the bank.
B: Thanks, but I already have two parking tickets. I don't think I'll take the chance.

訳例

A: どこに駐車するつもりですか。
B: このあたりはすごく混んでいそうだね。どう思う。
A: もう数分間待てば、銀行の前に止められると思うわ。
B: ありがとう。でも、駐車券を2枚持っているので、やめておくよ。

練習問題の解答と解説

1.laughing laughは「声を出して笑う」ことであり、smileは「声を出さないでにっこりする」ことなので、文脈上、ここにsmilingは入らない。 **2.angry** angryは形容詞なので、「怒る」という動作を表すにはget angryの形にする。 **3.broke** break outは「勃発する」という感じ。

50 位置(後ろ)と順序(後)を表すafter

CD 25

「彼は後ろのドアをぴしゃりと閉めた」
He slammed the door after him.

　この前置詞afterは、「～の後ろに」という位置関係を示すときに使われます。上の例文では、彼が入ってきたり、出て行ったときに「彼の後ろにあったドアを閉めた」ということです。この意味では、次の項で取り上げるbehindと言い換えることが可能です。むしろ、**afterでは「位置関係」より、「時間的順序」を示す使い方を確実に覚えておいたほうがよいでしょう。**下の練習問題はすべて「時間的順序」に関係しています。この場合は、「～の後に」とか「～に続いて」という意味になります。

練習問題でチェック！

1. 女性が先です。お先にどうぞ。
☐ Ladies (　　　)! **After** you.

2. 映画の上映は、いつも次回予告の後だ。
☐ The movie always comes **after** the (　　　).

3. 彼女は、アポロ宇宙飛行士の後、月の上を歩く最初の人間になりたがっている。
☐ She'd like to be the first person to walk on the moon **after** the Apollo (　　　).

116

まるごと覚える会話例

A: There's the photo machine. Who wants to go first?
B: Go right ahead. I'll go **after** you.
A: Thank you very much. I'll only be a few minutes.
B: Make sure that you smile in the pictures.

訳例

A: スピード写真があるわよ。誰が最初に撮るの。
B: どうぞ、お先に。僕は君の次でいいよ。
A: ありがとう。数分間で終わるから。
B: ちゃんと笑ってね。

練習問題の解答と解説

1. first 「先着順」は First come, first served. と言う。
2. previews preview には「試写」という意味もある。
3. astronauts アメリカの宇宙飛行士のこと。ロシアの場合は cosmonaut を使う。

51 位置(後ろ)を表す behind

「後ろにはトラックが、前にはバスがいる」
There is a truck behind us and a bus in our way.

前項で書いたように、「位置関係」で「〜の後ろに」を表したい場合には、この前置詞behindを使えるようにしておきましょう。そして、**このbehindは、「〜の後ろに」が基本の意味ですが、そこからやや比喩的な意味も生じてきます。**例えば、「背後に」とか「隠れて」という意味です。behind the sceneは「舞台裏で、秘密に」ですし、What's behind her story?と言えば「彼女の話に隠されていることは何だい」という意味です。

なお、このbehindが「時間」を表す場合は、「遅れている」という意味で、behind scheduleならば「予定より遅れている」ということです。

練習問題でチェック！

1. あれ、ライトを点滅させたパトカーがすぐ後ろにいるよ。
☐ Oh, no! There's a police car right **behind** us with its lights (　　　)!

2. 茂みの中で、空腹の子供ライオンが母親のすぐ後ろにいた。
☐ The hungry lion (　　　) stayed just **behind** their mother in the bush.

3. 我々のすぐ後ろに巨大な吹雪が近づいている。
☐ There's a giant (　　　) closing in right **behind** us.

まるごと覚える会話例

A: We'd like a better table, please.
B: I'm sorry, but this is all there is available.
A: Then we'll wait until we can get one with a city-view.
B: I don't know if that's such a good idea. There is a large group of people right **behind** you on the reservation list that will probably take most of the tables for the next few hours.

訳例

A: もっといい席をお願いします。
B: 申し訳ございませんがここしかありません。
A: じゃ、街の景色が見える席があくまで待ちましょう。
B: それはどうでしょうか。お宅様のすぐ後には、あと何時間かテーブルをご利用されるお客様が大勢予約されていますので。

練習問題の解答と解説

1.flashing　with＋名詞＋〜ingで、名詞が〜している状態を表す。flashのスペリングをflush（「水を流す」「顔を赤らめる」）としないように。　**2.cubs**　cubはライオン、トラ、クマなどの「子供」のこと。　**3.snowstorm**　snowstormは「吹雪」で、rainstormは「暴風雨」、sandstormとなれば「砂あらし」。

52 方向を表す for

「彼は今朝ロンドンへ向けて出発した」
He left for London this morning.

この「方向」を表すforは、通例「〜へ向けて」という意味に解釈されます。 leaveやstartなどの「出発」を表す動詞と共によく使われます。ここで、注意しなければならないのは、forは「行き先」や「方向」を示すだけであって、「到達先」を表しているのではないということです。「到達先」はtoを使って表します。例えば、She left for London.は、「彼女はロンドンに出発した」という意味ですが、She went to London.ならば「彼女はロンドンに行った」という意味になります。バスでも汽車でも飛行機でも、For Tokyoと表示してあれば、「東京行き」ということです。**「行き先」はtoではなく、forを使うと覚えておきましょう。**

この「〜に向けて」というforの基本概念が理解できれば、「〜のために」というforのもう1つの意味を理解するのは、そんなに難しくはないでしょう。「目的」を表すforについては、本書では別途（P.132に）取り上げてあります。

練習問題でチェック！

1. 彼女は明日の朝、東京行き7時15分の電車に乗る予定です。
☐ She is (　　　) the 7:15 train **for** Tokyo tomorrow morning.

2. 彼らは披露宴のあとすぐに新婚旅行へ行く予定です。
☐ They are going to leave **for** their (　　　) right after the reception.

3. 彼は郵便局のほうに向かっているようでした。
☐ He looked as if he were heading **for** the (　　　) office.

まるごと覚える会話例

A: When are you leaving **for** Thailand?
B: We'll be leaving the day after tomorrow.
A How long will you be gone?
B: We'll be gone for a week.

訳例

A:いつタイに行くのですか。
B:明後日です。
A:どのくらい行っているのですか。
B:1週間です。

練習問題の解答と解説

1.taking このように、現在進行形で「予定」を表すことがある。 **2.honeymoon** 日本語の「ハネムーン」とは発音がずいぶん違うことに注意。 **3.post** 「郵便」のことは、アメリカではmail、イギリスではpostと言うが、「郵便局」はアメリカでもpost officeと言う。

53 方向を表すto

「私たちはバスで駅に行きました」
We went to the station by bus.

前項で書いたように、**「方向」を表すtoは、その「到達先」を示すときに使われます。**ですから、「〜まで」とか「〜に」という言葉をあてることが多いわけです。「この道路を行けば、その劇場につきますよ」は、「この道路は、その劇場に通じています」と解釈すれば、This road leads to the theater.のように表現できますね。

さて、I'm flying to Australia.はどういう意味かわかりますか。「私はオーストラリアに飛行機で向かっている」ではありませんよ。toは「到達」を意図しているわけですから、正解は「私はオーストラリアへ行く予定だ」です。もちろんflyですから「飛行機で行く」のですが、この文は「予定」を表すことになります。「私はオーストラリアに飛行機で向かっている」は、ただ単に「〜のほうへ」という方向を表すtowardやtowardsを使って、I'm flying toward(s) Australia.となります。

練習問題でチェック！

1. 彼女がブラジルに最初に行ったのは、1951年のことで、船で行ったのです。
☐ She first went **to** Brazil (　　　) ship in 1951.

2. あの長髪の少年たちは、スケートボードで駅まで行きました。
☐ Those long-(　　　) boys went **to** the station by skateboard.

3. 彼は山口まで飛行機で行きました。
☐ He (　　　) down **to** Yamaguchi by plane

まるごと覚える会話例

A: How are you planning on traveling down **to** Gifu?
B: I'm going to go by car.
A: Are you going to take the highway?
B: No. I'm hoping to journey down through the back roads.

訳例

A:岐阜までどうやって旅行するつもりですか。
B:車で行くつもりよ。
A:高速道路に乗りますか。
B:いいえ。裏道を通って行けたらと思っています。

練習問題の解答と解説

1.by 「乗り物」でという場合のby。 **2.haired** curly-hairedと言えば「縮れ毛の」。 **3.flew** flyは「飛行機で行く」という意味で、過去形がflew、過去分詞がflown。

54 「〜の間」を表すbetween

「私は、あなたと私の間にある誤解を解きたい」

I would like to remove any misunderstandings between you and me.

まず、**between**は「〜の間」という意味ですが、その基本は「**2者間**」、つまり「**AとBの間**」ということです。ですから、上の例文のように、between A and Bの形でよく使います。なお、Between you and meと文頭で言う場合、「ここだけの話だけど」という意味にもなります。

また、「2者間」だけではなく、**「3者以上の間」**でbetweenが使われることがあります。The treaty was concluded between Japan, South Korea and the U.S.と言えば、「その条約は、日本、韓国、アメリカの間で締結された」という意味です。この場合、日本と韓国、韓国とアメリカ、アメリカと日本がそれぞれ条約を締結したということで、**betweenに続く構成要素がそれぞれ個々に関係がある**ことを示しています。

練習問題でチェック！

1. 私は、彼との間に何ら感情的対立はないと思っている。
□ I don't think there are any hard (　　　　) **between** he and I.

2. ここだけの話だけど、彼女はウソを言っていると思う。
□ Just **between** you and me, I think she's (　　　　)!

3. 彼ら3人合わせれば、電車の切符を買うには十分過ぎるお金になった。
□ **Between** the three of them they had more than enough money (　　　　) the train tickets.

まるごと覚える会話例

A: That Hitchcock movie was a real thriller!
B: It sure was. **Between** you and me I think the maid was the real killer.
A: I sure didn't. I thought that the beautiful wife was the guilty one.
B: Well, I was sure it was either the wife or the maid who killed the husband.

訳例

A:あのヒッチコックの映画は本当に怖かったね。
B:本当に。ここだけの話だけど、私はあのメイドが真の殺人者だったと思うのよ。
A:僕はそうじゃなくて、あの美人の妻が犯人だと思ったんだ。
B:夫を殺したのは、妻かメイドのどちらかだったとは思っていたけどね。

練習問題の解答と解説

1.feelings 通例、複数形で「感情」という意味になる。
2.lying 「ウソを言う」はlieで、その進行形がlying。 **3.for** money for〜で「〜を買うお金」。

55 「〜の間」を表すamong

「あの先生は学生の間で人気があります」
That teacher is very popular among the students.

　前項で、betweenは「3者以上の間」でも、その構成要素が個々に関係がある場合に使うと書きました。**ここで取り上げるamongは、「3者以上の間」で、しかも個々に関係がない場合に使います**。つまり、amongに続く名詞を1つの「集合」とか「集団」とみなすことができる場合です。そうすると、このamongは、「〜の中で」と言ったほうがわかりやすいかもしれません。a village among the mountainsは、「山の中にある村」とか「山に囲まれた村」という意味です。

　いずれにしても、「3者以上」を「集合」や「集団」と考えるわけですから、amongの後の名詞はthe crowdのような集合名詞か、普通名詞や代名詞の複数形が来ることを忘れないようにしましょう。

練習問題でチェック！

1. 彼はクラスメートの中で、100メートル競争は一番速い。
□ He's the fastest 100-meter (　　　　) man **among** all of his classmates.

2. 彼女は、キャスト全体の中でずば抜けて才能のある女優です。
□ She's by (　　　　) the most talented actress **among** the entire cast.

3. 販売員の中で、彼が一番ダメなんです。
□ **Among** all of the sales staff, he is by far the (　　　　) worker.

まるごと覚える会話例

A: Which teachers are usually most popular at your school?
B: **Among** all of the faculty I would say the social science teachers are.
A: Why not the math teachers?
B: Because they're probably the least popular!

訳例

A: あなたの学校では、どの科目の先生が人気があるの。
B: すべての学部の中で社会科学の先生だと思う。
A: 数学の先生じゃないの。
B: もっとも人気がないね。

練習問題の解答と解説

1.dash　「100メートル競争」と言うとき、このdashを落とさないように。　**2.far**　by farは比較級や最上級を強調するときに使う。　**3.laziest**　この日本文の「ダメ」は「働きが悪い」ということだから、lazy(「怠惰な」)などの語の最上級を入れる。

127

56 「〜から離れた」を表すfrom

「バス停はここから遠くないところにあります」

The bus stop is not far from here.

　すでにfromは「起点」を表すことを学んでいますから、**fromが「〜離れた」を意味する**ことも容易にイメージできるでしょう。例えば、練習問題2は、「私の家」を起点にして考えれば、「コンビニは300メートル離れたところにある」ということですね。このように、**fromが「離れている」を意味することを基本として押さえておけば、次のような表現もすんなり頭に入ってくるでしょう。**

　「君の言ったことはまったくの的ハズレだ」= What you said was far from the point. ／「彼女は、妹とはまったく違う」= She is very different from her sister.

練習問題でチェック！

1. 彼は、今朝学校を休んでいました。
□ He was (　　　) **from** school this morning.

2. そのコンビニは、私の家から300メートルほどのところにあります。
□ The (　　　) store is about 300 meters away **from** my home.

3. ソーサはホームラン記録を破る寸前だった。
□ Sosa was not far **from** (　　　) the home run record.

まるごと覚える会話例

A: Excuse me, I'm lost. Is the subway station far **from** here?
B: No, not at all. Just go down this street about five minutes and you'll run right into it.
A: Can I catch a taxi anywhere around here?
B: Well, there's also a taxi stand just about 100 meters **from** this spot on your right.

訳例

A: すみません、道に迷ってしまいました。地下鉄の駅はここから遠いですか。
B: いいえ、すぐですよ。5分ほどこの道をまっすぐに行くと出くわしますよ。
A: このあたりで、タクシーは拾えますか。
B: ここから100メートルほど行くと、右側にタクシー乗り場があります。

練習問題の解答と解説

1. absent 反意語(「出席する」)はpresent。 **2. convenience** 「コンビニ」は英語のconvenienceを縮めたもの。 **3. breaking** 記録などを「破る」はbreakを使う。

57 「～から離れた」を表す off

「私の家は15年前に建てられたので、最近、壁の色がはげおちました」

My house was built 15 years ago, so the paint came off the wall recently.

　本書の40「場所」を表すon（p.96）のところで、このonは「接触している」ことがその基本だと述べましたが、ここで取り上げるoffは反対に「離れている」ことが基本です。しかも、前項のfromが「距離」として「離れている」のに対して、**offは、実際に「物理的に離れている」イメージ**です。スイッチが切れているのは、offですね。上の例文や下の練習問題2でわかるように、come offと言えば「～からはがれる」「～からはずれる」「～とれる」という意味です。「芝生に入るな」を英語では、「芝生から離れて」という意味でKeep off the grass.と表現します。

練習問題でチェック！

1. 化学薬品のかかった衣服はすべてすぐに脱いでください。
□ You should take **off** right away any clothes that got (　　　) with the chemical.

2. ステレオのつまみがいきなりはずれた。
□ The (　　　) suddenly came **off** the stereo.

3. キャビネットの戸についている取っ手をたたいてこわさないように。
□ Be careful that you don't break **off** the (　　　) to the cabinet door.

まるごと覚える会話例

A: How old is this house?
B: I don't know for sure. I think it's around 100 years old or so.
A: Look at the dining room walls. The paint has all peeled **off**.
B: You should take a look upstairs. Most of the plaster has fallen **off**, too.

訳例

A: この家はどのくらい前に建てられたのですか。
B: はっきりとはわからないけれど、およそ100年くらい前だと思うわ。
A: ダイニングルームの壁を見てよ。色がはげおちているよ。
B: 2階を見たほうがいいわよ。しっくいもほとんどないわ。

練習問題の解答と解説

1.sprayed　getに続くので、過去分詞にすることに注意。sprayは日本語では「スプレー」だが、英語では[spréi]となる。
2.knob　knobは「ドアの取っ手」のように大きいものから「機械などのつまみ」のように小さいものまでを指す。　**3.handle** 同じ「取っ手」でも、形が丸いものはknobで、そうでないものはhandle。

58 目的を表す for

「次の試験のためにちゃんと準備はしたの」
Do you think you prepared enough for the next examination?

　本書52「方向」を表すforのところ（p.120）で、forの基本的意味は「～に向かって」であると書きました。この応用で、**「～の目的に向かって」と考えてみましょう。**上の例文では、「次の試験という目的に向かっている」からforなんですね。簡単に言ってしまえば、「～のために」ということです。この目的を「よりはっきりさせたい」ときには、文字通り「目的」というpurposeを用いてfor the purpose of ＋ 動名詞と表現することがあります。「彼はその家を転売する目的で購入した」は、He bought the house for the purpose of selling it. となります。

練習問題でチェック！

1. 出かける準備はできているの。
□ Do you think you're ready **for** (　　　) out?

2. 夏の休暇のためには急いで飛行機の予約をしたほうがいい。
□ It would be better to hurry up and (　　　) your flight reservation **for** summer vacation.

3. 次回のビジネスミーティングのためにいくつかの提案を書きとめておくのは賢い考えだ。
□ It would be a wise (　　　) to write down some suggestions **for** the next business meeting.

まるごと覚える会話例

A: Are you going to be ready **for** the upcoming *Bonenkai* season?

B: What do you mean exactly? Ready in what way?

A: You know. Being in shape **for** all the drinking and partying.

B: Ha! The best way I prepare **for** the end-of-the-year parties is to not be available!

訳例

A: そろそろ忘年会シーズンの準備はしているの。

B: どういうこと。何の準備をすると言うの。

A: わかっているじゃないか。飲み会やパーティのために体調を整えておくことさ。

B: いいえ、年末パーティの準備として私にできる最良のことは欠席することよ。

練習問題の解答と解説

1.going 前置詞の後なので、〜ingとする。 **2.make** 「予約をする」はmake a reservationが一般的。 **3.idea** このようにideaは後にto不定詞を続けることができる。

59 手段を表すby

CD 30

「電話でお知らせください」
Please let me know <u>by</u> phone.

　この「手段」を表すbyがよく使われるのは、上の例文や下の練習問題3のように、**「通信手段」を表すときです。** by phoneもby e-mailも無冠詞となります。それから、下の練習問題1のように**「乗り物」**を手段としている場合もbyです。「車で」はby car、「バスで」はby bus、「タクシーで」はby taxi、「汽車で」はby train、「飛行機で」はby planeとなります。いずれも、冠詞は付けません（もちろん「午後8時の汽車で」のように「特定」されれば、by the 8 p.m. trainとなります）。また、練習問題2のように、**byは何らかの「動作によって」という場合にその動作を動名詞にして後に続ける**ことがあります。次の項で取り上げるwithも「手段」を表しますが、「乗り物」や「動作によって」という意味では、withを使うことはできません。

練習問題でチェック！

1. 九州までの旅行は、汽車ですか、飛行機ですか。
☐ Are you (　　　　) down to Kyushu **by** train or plane?

2. あなたの返事は、うなずいて教えてください。
☐ Just let me know your answer **by** (　　　　).

3. あなたのお返事は今晩Eメールで送ってくださいね。
☐ Try to give me your answer **by** e-mail tonight, (　　　　) you?

まるごと覚える会話例

A: What is the fastest way to send this package overseas?
B: The quickest way would be **by** Federal Express.
A: Does that go **by** ship or **by** plane?
B: **By** plane, of course!

訳例

A: この小包を海外に送る一番速い方法は何ですか。
B: フェデラルエクスプレスでしょう。
A: それは船便ですか、航空便ですか。
B: もちろん航空便です。

練習問題の解答と解説

1.traveling 現在進行形で「予定」を表している。 **2.nodding** 通例「うなずく」のは「賛成」ということ。 **3.will** 命令文の付加疑問はwill you?となり、語尾を上げる。

60 手段を表すwith

「あなたの名前は鉛筆ではなく、ペンで書いてください」

Do not write your name with a pencil, but with a pen.

この「手段」を表すwithは、「器具」「用具」「道具」などを用いる場合に使うと考えてください。上の例文の「鉛筆」や「ペン」、下の練習問題の「ティッシュペーパー」や「ナイフ」「フォーク」など、すべて「道具」ですね。また、練習問題3の「自分の自転車」は、はっきりと自転車を特定できるので、一種の「道具」と考えているのです。もし、これが「毎日、自転車通勤です」とその「通勤手段」を言う場合なら、I commute by bicycle every day.と by bicycleを使います。ここで今一度、整理しておきましょう。**「通信」「乗り物」を手段としているときはby、特定できる「器具」「道具」を手段としているときはwithを使うということです。**

練習問題でチェック！

1. 彼女はグラスに付いた口紅をティッシュペーパーで拭いた。
□ She wiped her lipstick off the glass **with** a (　　　　).

2. 日本にいるのだから、ナイフやフォークの代わりに箸を使って食べるようにしてみてください。
□ Since you're in Japan, try to eat **with** (　　　　) instead of a knife and a fork.

3. バスを待っているよりは、自分の自転車で行ったほうがいいんじゃない。
□ Why don't you go **with** your (　　　　) instead of waiting for a bus?

会話に使えるパーフェクト英文法

まるごと覚える会話例

A: What is the proper way to eat Philippine food?
B: The best way is to eat **with** a knife and a large spoon.
A: Can't you use a fork?
B: It's much better manners **with** only a spoon instead.

訳例

A: フィリピン料理の正しい食べ方は、どうしたらいいのですか。
B: 一番いいのは、ナイフと大きなスプーンで食べることですね。
A: フォークは使わないのですか。
B: マナーとしてはスプーンだけのほうがいいですね。

練習問題の解答と解説

1.tissue 日本語の「ティッシュペーパー」は、英語ではpaperをつけないでtissueだけで表す。 **2.chopsticks** 「箸」のことをchopsticksと言い、複数形になる。 **3.bicycle** 発音に注意。

61 「〜に関して」を表す about

「この件については何も聞いていません」
I haven't heard anything about this matter.

ここで取り上げる about は、「〜に関して」を意味しますが、「〜について」という訳で覚えている人も多いのではないでしょうか。この前置詞には、他にも「およそ」とか「〜のあたりに」という意味があることからもわかるように、ストレートに対象の物だけを言うのではなく、**「その周辺のことを含めて」言うときに使います**。I learned the poem. は「詩そのものを覚えた」ですが、I learned about the poem. と言えば、「その詩に関することを色々学んだ」ということになります。また、「あることに関連して何か」という意味合いから、something about〜 や anything about〜 の形でもよく使われます。

練習問題でチェック！

1. たったの今まで、そのスキャンダルについてはまったく何も聞いたことがありませんでした。
□ I swear I haven't heard anything **about** the (　　　) until just now.

2. 日本の古代史について何か知っていますか。
□ Do you know anything **about** Japanese (　　　) history?

3. 登山のすべきこととしてはいけないことに関して勉強したい。
□ I'd really like to learn **about** the dos and (　　　) of mountain climbing.

まるごと覚える会話例

A: Do you know anything **about** the Japanese - Russian War of 1903?
B: Almost nothing, except there was a big naval battle way up north.
A: Who won the battle, do you know?
B: I really don't know much **about** it at all except for the fact that Japan came out victorious.

訳例

A: 1903年の日露戦争について何か知っていますか。
B: 北の海で大きな戦いがあったという以外は、ほとんど知らないわ。
A: その戦いでは誰が勝ったのかな。
B: 本当によくは知らないけど、日本の勝利に終わったというのは事実よ。

練習問題の解答と解説

1.scandal　「汚職事件」やいわゆる「不祥事」も、英語ではscandalと言う。　**2.ancient**　「古代史」は別な言い方をすれば、early Japanese history。　**3.don'ts**　dos（あるいはdo's) and don'tsで「すべきこととしてはいけないこと」で「ものごとのイロハ」という意味。

62 「〜に関して」を表す on

「彼は異文化間コミュニケーションについての本を書いた」

He wrote a book <u>on</u> cross-cultural communication.

　同じ「〜に関して」を表すaboutに比べて、**このonは、どちらかと言えば「専門的なことに関する」というイメージがあります。**下の練習問題2を見てください。正解を言ってしまうと、（　　　）にはexpertが入ります。「〜の専門家」と言う場合には、an expert about〜ではなく、an expert on〜と言うほうが自然です。ですから、このonの前に来て修飾される語は、わりに限定されています。a book on〜（「〜に関する本」）、a lecture on〜（「〜に関する講演」）、an opinion on〜（「〜に関する意見」）、a comment on〜（「〜に関する論評」）などを覚えておいて、aboutと使い分けるとよいでしょう。

練習問題でチェック！

1. 彼は日本的事象に関する立派な本を書いた。
☐ He wrote an excellent book **on** things (　　　).

2. 彼女は美術史の専門家でした。
☐ She was an (　　　) **on** art history.

3. その年配の教授は彼女の卒業論文について誠実な意見を述べた。
☐ The old professor gave an honest opinion **on** her (　　　) thesis.

まるごと覚える会話例

A: What kind of books do you like to read?
B: I enjoy reading books **on** various subjects.
A: What kind of subjects, for example?
B: Well, I enjoy reading books **on** famous historical figures.

訳例

A: どんな本がお好きですか。
B: さまざまなテーマの本を読んでいます。
A: たとえば、どんなテーマですか。
B: そうですね、有名な歴史上の人物に関する本などです。

練習問題の解答と解説

1.Japanese このようにthingsの後にJapaneseという形容詞を置いて、「日本的なもの」という意味になる。 **2.expert** 「専門家」という名詞のときのアクセントは最初のeの上にある。 **3.graduation** 「論文」は一般的にはa paperだが、「卒業論文」はgraduation thesis[θíːsis]と言う。

63 「〜に関して」を表す as for

「私に関して言えば、
フランス料理より中華料理のほうが好きです」
As for me, I like Chinese food rather than French.

このas for〜は、「〜はどうかと言えば」という意味で覚えておくとよいでしょう。そして、文頭で使うということも覚えておきましょう。今まで話していたことに関連して、「話の口火をきる」ときに有効な表現です。上の例文では、それまで料理の話をしていて、どんな料理が好きかを言うときにこの表現が使えますね。なお、次の項で取り上げるas toとの対比として、「〜はどうかと言えば」の「〜」にあたる部分に、**特に「人」が来る場合にはas forを使い、「物や事」が来る場合にはas toを使う、**というふうに頭に入れておけば、使い分けることができるでしょう。

練習問題でチェック！

1. 自分にとっては、冬の寒い日よりも夏の暑い日のほうが好きです。
   ☐ **As for** me, I prefer the hot days of summer (　　　) the cold days of winter.

2. ジョンについて言えば、熱狂的なプロサッカーファンだ。
   ☐ **As for** John, he is a (　　　) about professional soccer.

3. その先生のことを言えば、黒板の字がとてもきたない。
   ☐ **As for** that teacher, his writing on the (　　　) is very bad.

まるごと覚える会話例

A: What are your favorite hobbies?
B: I like swimming and going to art galleries whenever I can find the time.
A: How about Hitomi?
B: **As for** Hitomi, she likes shopping and doing aerobics.

訳例

A: お気に入りの趣味は何ですか。
B: 時間があれば、水泳と美術館に行っています。
A: ひとみさんは?
B: ひとみの場合は、買い物とエアロビよ。

練習問題の解答と解説

1.to prefer A to B で「B より A を好む」となる。 **2.fanatic**「熱狂的なファン」のことをこう言う。語源は fan から来ているが、アクセントは2番目の a のところにある。 **3.blackboard** 2語にして black board と書くと、「黒い板」となるので要注意。

64 「〜に関して」を表すas to

「どこでそのニュースを聞いたのかについては、彼は教えてくれなかった」

He didn't tell me anything as to where he got the news.

このas toも、 as forと同様、**「〜について言えば」という意味で、それまでの話題との関連で使うのが自然です。**上の例文では、そのニュースの話をそれまでしていたことが前提ですね。ただ、**as forと違い、文頭だけでなく、文中に置くこともできる**ので、その場合には、むしろaboutとほとんど同じ意味になります。また、この例文でもわかるように、as toはその後に節を続けることができます（as forは節を続けることはできません）。なお、as toは前置詞句として機能しますから、as toに動詞が続く場合には、動名詞にすることを忘れないように。

練習問題でチェック！

1. 会議を欠席してもいいかどうかについて知りたい。
   □ I want to know **as to** (　　　) it will be O.K. to miss the meeting?

2. 彼の申し出を受けるかについては、まだ決めかねている。
   □ **As to** (　　　) his offer, I'm still undecided.

3. 紛失したネックレスをどうするかについては、誰も決められなかった。
   □ Nobody could decide **as to** what to do about the (　　　) necklace.

会話に使えるパーフェクト英文法

まるごと覚える会話例

A : How do you like Julie?
B : Oh, she's a wonderful girl.
A : That's not what I mean. I mean, do you like her as in marriage?
B : Well, I'm not sure **as to** whether she is the right girl for me.

訳例
A：ジュリーのことどう思う。
B：いいんじゃない。
A：そうじゃなくて、結婚相手としてどうかってこと。
B：うーん、僕にふさわしいかどうかはわからないよ。

練習問題の解答と解説

1.whether 「〜かどうか」の意味で、whetherがifに置きかえられることがあるが、この文のように前置詞の後に来る場合は、ifではなくwhetherを使う。 **2.accepting** 前置詞の後なので、〜ingの形にする。 **3.lostあるいはmissing** 「迷子」はa lost [missing] childと言う。

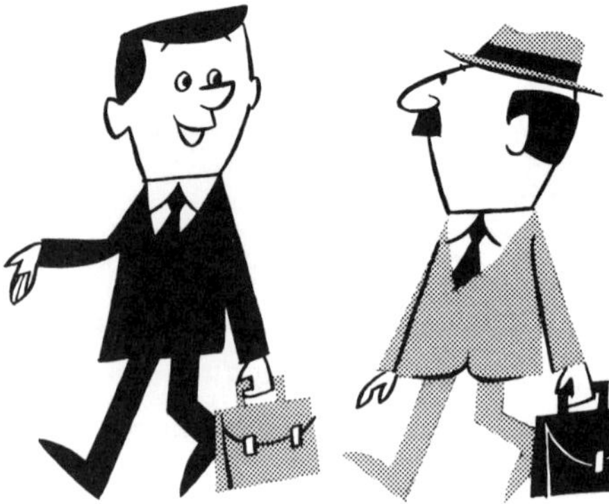

第4章
英語の論理を示す接続詞と副詞とは

　接続詞というのは、語と語、句と句、節と節などを結びつける働きをするわけですが、そんなに使い方が難しいわけではありません。本書では、誰でも知っていると思われるand、or、but、when、ifなどは扱っていません。また、理由を表すforも、極めて文語的な接続詞なので、会話ではbecauseを使えばよいわけですから、取り上げていません。そこで、**この章では、あなたの会話を単文の羅列ではなく、より知的な響きをもたせる会話をするために、文章をつなげるのにもっとも重要と思われる4つの接続詞と2つの副詞に絞って学習します。**

　まず、英語で表現するときには、論理的にものごとを考えることが求められますので、原因や理由をはっきり述べる際に使う接続詞because、since、now thatと副詞のtherefore、それから、反論などに使うhowever、そして会話に頻出するwhether、この6つです。少ないと思うかもしれませんが、この6つをマスターして会話で効果的に使うだけで、あなたの会話もずいぶんグレードアップすることになります。では、最初にbecauseからスタートです。

65 because

「彼は病気だったので来ないと思った」
I didn't think he would come because he was sick.

Why didn't you attend the meeting?(「どうして会議に出席しなかったの」)Because I was sick.(「病気だったから」)このように英語では、「なぜ」→「なぜなら」というふうに因果関係をはっきりさせることがよくあります。この「なぜなら」にあたる部分を導くのがbecauseです。なお、becauseに導かれる節を文頭に置いて、Because I was sick, I couldn't attend the meeting.とすることも可能ですが、会話では、先に主節で結論を言って(I couldn't attend the meeting)、そのあとに理由を付け足す(because I was sick)ことが普通です。いずれにしても、**「理由」をはっきり述べるときに使うのがbecause**と覚えておきましょう。

練習問題でチェック！

1. 彼は昨晩とても怒っていたように見えたので、電話をしてこないと思う。
☐ I really didn't think he'd (　　　) **because** he seemed so angry last night.

2. ジャックは、恐ろしいものにはいつも怖がるリサがホラー映画を見に来ていたので、とても驚いた。
☐ Jack was really surprised to see Lisa at the horror movie **because** she was always afraid (　　　) anything scary.

3. 彼女がけっして薬を飲まないタイプの患者だったので、医者は彼女を診察したくなかった。
☐ The doctor didn't like treating her **because** she was a bad patient who never took her (　　　).

まるごと覚える会話例

A: It's great to see Jimmy out on the tennis court again.
B: I think so, too. I never thought he'd play again after the car accident.
A: How do you think he managed such a comeback?
B: It is only **because** he has such strong drive.

訳例

A: ジミーとまたテニスコートで会えてよかったわ。
B: 僕もだよ。車の事故のあとで彼がまたプレーできるとは思わなかったから。
A: どうしてカムバックできたと思う？
B: またやりたいという強い意志があったからだよ。

練習問題の解答と解説

1. call あるいは ring　callはアメリカ英語で、ringはイギリス英語。　**2. of**　be afraid of～で「～を怖がる」という意味。
3. medicine　一般的に「薬」はmedicineでよいが、形状からpill（「丸薬」）、tablet（「錠剤」）、capsule（「カプセル」）、ointment（「軟膏」）などに分けられる。

66 since

「彼女は英語が上手に話せたので、社長の通訳に選ばれた」

Since she speaks English fluently, she was chosen to be the interpreter for the president.

このsinceもbecauseと同様、「理由」を表しますが、いくつかの違いがあります。まず、**sinceはWhy～?で聞かれたときの答えとして使うことはできません**。また、会話では**sinceは圧倒的に文頭に置かれることが多くなります**。なぜなら、同じ「理由」を表すにしても、sinceはbecauseほど強い響きがないからです。ですから、先に軽く理由や原因を述べて、そのあと結論を主節で述べることができるわけです。文頭で「～ので」と軽く口火を切るときにはsince、主節のあとで理由を付け足すときにはbecauseを使うと覚えておきましょう。

練習問題でチェック！

1. 雨がひどいので、私たちは釣り旅行をキャンセルせざるを得なかった。
□ **Since** it was raining so hard, we were (　　　) to cancel our fishing trip.

2. 彼は一生懸命勉強して大学に合格したので、両親は彼に新車をプレゼントした。
□ **Since** he worked so hard and passed the entrance exam for the university, his parents rewarded him (　　　) a new car.

3. 彼は知ったかぶりをするので、他の人にあまり好かれていない。
□ **Since** he's a (　　　), other people don't like him very much.

まるごと覚える会話例

A: Do you think the water's still warm enough to go swimming?
B: Yes, I do, but not maybe the best time to go in the water.
A: Why do you say that?
B: Because **since** it's late August, it's the time of the year when the jellyfish float in.

訳例
A: 泳ぎに行っても水は冷たくないと思う?
B: 大丈夫だと思うけど、泳ぐのにいい時期じゃないよ。
A: どうして。
B: 8月の終わりだから、クラゲが出てくるというわけさ。

練習問題の解答と解説

1. forcedあるいはobliged どちらも「~せざるを得ない」という意味でよく使われる。　**2. with** reward A(人)with B(物)で、「AにBで報いる」ということ。　**3. know-it-all** この表現は、語頭にknowがあっても、名詞で「何でも知っているような人」のことを指す。

67 now that

「仕事を変えたので、以前より時間はあるよ」

Now that I've changed jobs, I have more time than before.

　実はこの表現は、thatが省略されて、NowだけでNow〜というふうに使われることも多いのですが、Now that〜の形でthatを入れて覚えたほうが、「〜」の部分に文が来るのだということがはっきりするでしょう。**Now that〜を日本語にすれば、「〜ので」となり、理由や原因を表すことができるわけですが、大事なことは、「〜」の部分には「何か新しい情報や状況を説明する文」が来るということです。**だから、nowという単語が使われているのです。このnow thatは主節の後に置くこともできますが、基本的には文頭に置いて、新情報を提供する際に使うことをお勧めします。

練習問題でチェック！

1. 妻は自分の車を手に入れたので、今まで以上に外出するようになった。
□ **Now that** my wife has got her own car, she goes out much more than ever (　　　).

2. 冬はすぐそこにきているので、暖かい服装をしたほうがいい。
□ **Now that** winter is just around the (　　　), we'd better start dressing warmer.

3. 大学を終えたので、長い休暇をとるよ。
□ **Now that** I (　　　) college, I think I'll take a long vacation.

まるごと覚える会話例

A: Frank, what are you going to do after you graduate from college?
B: I'm kind of tired, so I think I'll take a trip to Europe for a while.
A: How long do you plan to be gone?
B: I haven't any plans. **Now that** I'm no longer a student, I'll just relax around a while.

訳例

A: フランク、大学を卒業してこのあとどうするつもり。
B: ちょっと疲れたから、しばらくヨーロッパへ旅行するよ。
A: どのくらい行っているの。
B: 予定はないんだ。もう学生じゃないから、少しのんびりするよ。

練習問題の解答と解説

1.before　than ever beforeは、このように比較級とともに用いられて「今までよりも」という意味になる。　**2.corner**　just around the cornerは、「すぐ間近に」という意味でよく使われる。　**3.finished**　この場合のfinishは、「卒業する」ということ。

68 therefore

「全部のエレベーターが故障したので、8階まで歩いて登らなければならなかった」

All the elevators were out of order and therefore we had to walk up to the eighth floor.

このthereforeは接続詞ではなくて、副詞ですが、その機能から言えば「それゆえに」という意味で、前の文をさらにつなげる働きをします。品詞が接続詞か副詞かということよりも、文を論理的につなげるその機能に注目してください。同じように「だから」という意味を表すsoに比べてやや硬い感じはしますが、日本人が英語をしゃべるときには、多少硬いくらいのほうが好感を持たれますので、soだけを連発するのではなく、ときにはthereforeも使ってみましょう。通例は、上の例文のようにand、あるいは下の練習問題のようにsoの後に置いて使います。

練習問題でチェック！

1. 電車が全部止まったので、歩いて家に帰るしかなかった。
☐ All the trains have stopped so **therefore** we've got no (　　　) but to walk home.

2. 電話が故障しているので何かいい方法を考えなくては。
☐ The phone is out of (　　　) so **therefore** we'd better think of something!

3. もうすぐ春だから愛はそこいらじゅう。
☐ Soon it will be spring and **therefore** love will be in the (　　　).

まるごと覚える会話例

A: Where do you suggest that we begin looking for Dad's birthday present?
B: Well, since he likes casual clothes, why don't we start at some of the local sports shops?
A: But all of those shops deal mainly in sports equipment so **therefore** I think we should try the department stores instead.
B: Whatever you say!

訳例

A: お父さんの誕生日プレゼントを探すのにどこがいいと思う。
B: お父さんはカジュアルな服が好きだから、地元のスポーツショップから見てみようよ。
A: でも、ああいう店はスポーツ用品を主に扱っているから、デパートがいいと思うわ。
B: おっしゃる通りに。

練習問題の解答と解説

1.choice no choice but〜で、「〜以外の選択はない」という意味。 **2.order** out of orderは、「(機械などが) 故障」したことを表す。 **3.air** in the airは「空中に」ということなので、「どこにでもある」ということ。

69 however

「台風が来ているらしいけど、あとで外出しなければなりません」
I heard the typhoon is coming. Later, however, I have to go out.

このhoweverも副詞ですが、前の文をつなげるという機能を持っています。**howeverは「けれども」という意味ですから、続く文は「予想に反すること」になります**。上の例文では、台風が来ていれば、普通は出かけないと予想されますが、「実は、外出する」ということをhoweverの後に言っていますね。また、次ページの会話例のように、**前に述べたこと（今夜）と対照的なこと（明日）を言うときにも使います**。ときにhoweverを効果的に使うと、あなたの会話がずっとスマートな感じになります。

練習問題でチェック！

1. そのニュースは友人から聞いたんだけど、何日か後で、それは単なる噂だということがわかった。

☐ I heard the news from my friend. A few days later, **however**, it (　　　) out to be only a rumor.

2. 学生は木曜日には学校がないと言われたのに、お昼になって、授業があるというアナウンスがあった。

☐ The students were told there was going to be no school on Thursday. At lunch, **however**, there was an (　　　) that classes will be held.

3. テッドはリサにプロポーズしたが、その後、彼は突然婚約を破棄した。

☐ Ted asked Lisa to marry him. After a while, **however**, he suddenly (　　　) off the engagement.

まるごと覚える会話例

A: What's the weather forecast for tomorrow?
B: It's going to snow tonight. Tomorrow, **however**, it's supposed to be sunny and warm.
A: That's good news. If it's warm enough, the snow will melt.
B: Let's hope so.

訳例

A: 明日の天気予報は?
B: 今晩は雪だけど、明日は晴れて暖かくなるそうよ。
A: それはいいね。暖かくなれば、雪も溶けるだろう。
B: そう願っているわ。

練習問題の解答と解説

1. turned turn out to〜で、「〜だとわかる」という意味。
2. announcement 日本語で「アナウンス」は名詞だが、英語のannounceは動詞。　**3. broke** 結婚に限らず、「何かを突然やめること」をbreak offと言う。

70 whether

「彼に来られるのかどうか聞いたほうがいいよ」

You should ask him <u>whether or not</u> he is able to come.

　このwhetherは接続詞で、「～かどうか」という意味です。上の例文のように、動詞の目的語となる名詞節を導く働きをします。**Whetherだけ単独で覚えるのではなく、whether or notで1つのセットとして覚えたほうが実際に使うときに便利です。**例えば、上の英文はYou should ask him whether he is able to come or not.というふうに、or notの部分を最後に持ってきてもよいのですが、whether～or notの「～」が長くなるときには、or notをwhetherのすぐ後に置いて、whether or notとします。ですから、whether or notをまとめて一気に言う癖をつけておくとよいでしょう。なお、下の練習問題3のように、前置詞のうしろにそのままwhether or not～の節を続けることがあります。

練習問題でチェック！

1. 彼女は、きつい着物を着て似合うかどうか知りたかった。
□ She wanted to know **whether** or not she (　　　) good in the tight *kimono*.

2. ロックスターたちがホテルの入口から出てくるかどうかは言えなかった。
□ I couldn't say **whether** or not the rock stars would come out the hotel (　　　).

3. 多くの母親たちは、子供が勉強し過ぎることが、その社会的発達にとってふさわしいのかどうかを心配している。
□ Many mothers are (　　　) about **whether** or not too much studying is good for their children's social development.

まるごと覚える会話例

A: Hi. Sorry I'm so late.
B: Why didn't you call? I didn't know **whether** or not to cook dinner.
A: I'm sorry. I got really tied-up in meetings all afternoon.
B: Then why don't we go out for dinner?

訳例

A: やあ、遅くなってごめん。
B: どうして電話をくれなかったの。夕飯を作ったらいいのかわからなかったじゃない。
A: 申し訳ない。午後はずっと会議に出ずっぱりだったんだ。
B: じゃ、外に食べにいきましょ。

練習問題の解答と解説

1.looked 服装などが「似合う」というときは、このようにlook goodと言えばよい。 **2.entrance** 「出口」はexitあるいはway outと言う。 **3.worried** 「〜を心配している」という状態を表すときには、このようにbe worried about〜の形を取る。

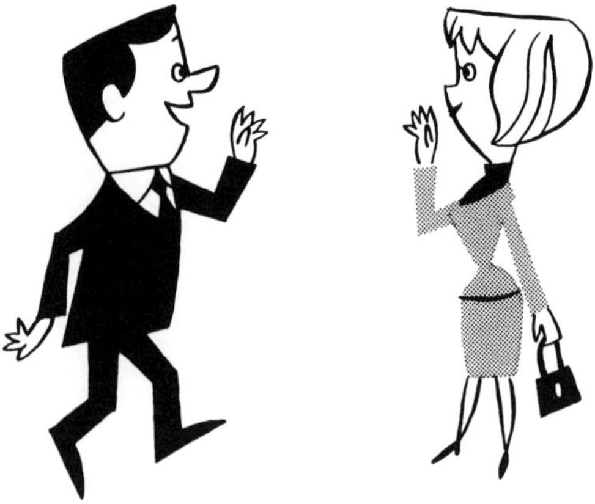

第5章
意外と簡単、現在完了形

　日本人のよく間違える文法に、過去完了形がありますが、会話では使わなくても十分に意志の疎通はできますので、本書では取り上げませんでした。出来事の順に過去形で述べていけば、過去完了形を使う必要はないのです。しかし、現在完了形は違います。会話によく出てきますし、これはしっかりマスターしたい文法です。

　まず、have（あるいはhas）＋過去分詞という形をとる現在完了形をマスターするにあたって、**一番大事なことは、現在完了形とは「現在につながっていることを述べる」ということです。**過去形は、まさに過去の事実を述べるときに使うわけですが、ある動作や状態が過去に起こっても、それが何らかの形で現在につながっている場合に使うのが、現在完了形と言ってもよいでしょう。そうすると、現在完了形は、時間的な幅を持つことになりますね。ですから、for five days（「5日間」）などの語句と一緒に使うのはOKですが、ある特定の時期を明示するようなfive days ago（「5日前」）という語句と一緒に使うことはできないということもわかるでしょう。

　さあ、以上のことを踏まえて、「完了」「結果」「経験」「継続」という現在完了形の4つの意味ごとの使い方を順番に見て、それぞれ、あなたの会話に生かしてみましょう。

71 「完了」を表す

「今宿題を終えたところです」
I've just finished my homework.

まず、①I finished my homework.と②I've just finished my homework.の違いを考えてみましょう。①の過去形を使った英文は、「宿題は終えた」という過去の事実を言っているだけですが、②の現在完了形を使った英文は、「今まさに宿題を終えた」ので、「これから出かける」などというときに使います。つまり、**現在完了形のほうは、ある動作や行為が完了したので、そこで「現在どうするか」あるいは「現在どうなっているか」ということを言いたいという気持ちが伝わってくるのです。**例えば、下の練習問題1では、「つい最近、ギターを始めたので、今現在は、まだヘタです」という気持ちがある場合に使います。なお、②で動作や行為が完了していなければ、否定文にしてI haven't finished my homework yet.となりますが、この場合でも「終えていないので、今は出かけられない」というふうに、やっぱり「今」＝「現在」に焦点があることを忘れないでください。

練習問題でチェック！

1. つい最近、ギターの演奏を始めたばかりです。
   ☐ I**'ve** only recently **begun** to play the (   ).

2. 今彼女は電話を終えたところです。
   ☐ She **has** just (   ) up the phone.

3. 私たちは結婚して、新生活を始めたばかりです。
   ☐ We just (   ) married and **have begun** a new life.

まるごと覚える会話例

A: Hi, Bob. What's new?
B: Oh, not much. I**'ve** just **graduated** from college and **have begun** to think about what I want to do with my life.
A: Are you planning on getting a job in the near future?
B: I don't know yet. I may take a trip to think about it some more.

訳例

A: ボブ、この頃調子はどう?
B: まあね。大学を卒業したばかりで人生で何をしたいのか考え始めたところさ。
A: 近い将来、手に職を持つつもりなの?
B: まだわからないよ。もう少し考えるために旅に出るかもしれないんだ。

練習問題の解答と解説

1.guitar [gitá:r] 発音とアクセントに注意。　**2.hung** hang upで「電話を切る」という意味。この意味のhangの過去分詞はhangedではなく、hungである。　**3.got** 「結婚する」はmarry 1語でも表せるが、get marriedとしたほうが口語的。

72

「結果」を表す

CD 36

「傘をどこかに置いてきた」

I have left my umbrella somewhere.

ここでも、過去形を使った①I left my umbrella somewhere.と現在完了形を使った②I have left my umbrella somewhere.を比べてみましょう。①も②も日本語にすれば「傘をどこかに置いてきた」となりますが、②のほうは「その結果、今手元にない」というニュアンスがあります。要するに、**この「結果」を表す現在完了形も明らかに「現在」に焦点をあてているのです**。下の練習問題2でも「お母さんは出かけた結果、今ここにはいない」という気持ちが、話者にはあるのです。このことを頭に置いておけば、「ペンをなくしちゃったから、君のを貸して」を英語で表現する場合は、過去形ではなく現在完了形を使って、I've lost my pen. Can I borrow yours?とするほうが自然だということがわかりますね。

練習問題でチェック！

1. 彼はカバンをタクシーの中に置き忘れた。
☐ He **has** (　　　) his bag in the taxi.

2. お母さんは、今出かけたところです。
☐ Mother **has** just **gone** (　　　).

3. どこかにジャケットを忘れたけれど、どこかは思い出せない。
☐ **I have left** my jacket (　　　), but I can't remember just now.

まるごと覚える会話例

A: Jerry is always forgetting things. He **has lost** his keys on the train ride home.
B: Is he always bad at losing things?
A: Usually. He has a bad habit of being absent minded.
B: Maybe he should get more focused and organized.

訳例

A: ジェリーはいつも物を忘れるんだから。電車で帰ってくる途中で鍵をなくしたのよ。
B: 彼は物をよくなくすのかい。
A: しょっちゅうよ。ぼおっとする悪いクセがあるんだから。
B: もっと集中しないとね。

練習問題の解答と解説

1. left 「忘れる」イコールforgetとしないように。「置き忘れる」のはleaveを使って表す。 **2. out** 「出かける」はgo out。
3. somewhere 疑問文にはanywhereを使う。

73
「経験」を表す

「海外に行ったことがありますか」
Have you ever been abroad?

　今度は「経験」を表す現在完了形です。ここでも、「今までに〜したことがある(ない)」というふうに**「現在までの経験」と理解しておくとよいでしょう**。ただ、注意したいのは「経験」を表す場合、すべて現在完了形になるわけではなく、「3年前にパリに行ったことがある」は、過去形を使ってI went to Paris three years ago.と表します。これは、日本語の「行ったことがある」に引きずられて、「経験」と思ってしまうかもしれませんが、「3年前」という明らかな過去を表す語句がある場合には現在完了形ではなく、過去形で表します。

　「経験」を表す現在完了形の疑問文では、ever(「これまでに」)が使われることが多く、否定文の場合にはhave(あるいはhas)の後に neverを置いて、「〜したことがない」という意味になります。この他に、「経験」を表す現在完了形とともに用いられる副詞としては、before (「以前に」)があります。

練習問題でチェック!

1. 今までにヨーロッパに行ったことがありますか。
□ **Have** you ever **been** to (　　　)?

2. 今までに京都を尋ねる機会がありましたか。
□ **Have** you ever **had** the (　　　) to visit Kyoto?

3. 彼女がこれまでに山登りに行くチャンスがあったのですか。
□ **Has** she **had** a (　　　) to go mountain climbing yet?

会話に使えるパーフェクト英文法

まるごと覚える会話例

A: **Have** you ever **been** to Europe?
B: Only once. I went to Italy and France.
A: **Have** you **had** a chance to visit America?
B: Not yet. But I hope to someday.

訳例

A: ヨーロッパに行ったことがありますか。
B: 一度だけ。イタリアとフランスへ行きました。
A: アメリカに行くチャンスはありましたか。
B: まだなんですが、いつかは行ってみたいですね。

練習問題の解答と解説

1.Europe [júərəp] 発音とアクセントに注意。 **2.opportunity** have the opportunity to～の形で「～の機会がある」を表す。 **3.chance** chanceのほうは、どちらかと言えば、「可能性」や「偶然性」のニュアンスがあるが、実際にはopportunityとほぼ同意で使われている。

74 「継続」を表す

「彼女は当地にほぼ3年住んでいます」
She has lived here for about three years.

　現在完了形の締めくくりとして、「継続」を表す場合を見てみましょう。考え方としては、**過去に始まった出来事がずっと続いていて、それがやはり「現在」まで継続しているときに現在完了形を使う**ということです。上の例文では、当然「彼女は今も当地に住んでいる」ということになります。なお、この「継続」を表す現在完了形は、もし、その状態や動作が現在も進行中の場合は、have（あるいは has）+ been + ～ingの形で、文字通り「現在完了進行形」になります。「私たちは、中学校で勉強して以来ずっと英語を学び続けている」は、「今現在も学び続けている」と考えて、We have been learning English since we started in junior high school. となります。

練習問題でチェック！

1. 彼は商社に勤めて、およそ6年になります。
　□ He **has worked** for the (　　　) company for almost six years.

2. 彼女が彼とデートをして2年とちょっとになります。
　□ She **has been** (　　　) him for a little over two years.

3. 彼は流感で寝込んでほぼ1週間になります。
　□ He **has been** sick in bed with the (　　　) for about a week.

会話に使えるパーフェクト英文法

まるごと覚える会話例

A: How long **have** you **been** scuba-diving?
B: I **have been** diving for the past seven years.
A: Do you have a license?
B: Sure. **I've had** one for over six years.

訳例

A: どのくらいスキューバダイビングをやっているのですか。
B: これまで7年間です。
A: ライセンスを持っているんですか。
B: もちろん。免許を取って6年以上になります。

練習問題の解答と解説

1.trading 普通「商社」のことはtrading company（「貿易会社」に同じ）と言っている。　**2.dating** dateは動詞で、「デートをする」という意味で使われる。なお、「～とデートする」という場合、date with～ではなく、date～となることに注意。　**3.flu** 正式にはinfluenzaだが、略してfluと言うことが多い。

第6章
整理して覚えよう使役動詞

　ここで取り上げる使役動詞とは、make、have、let、getの4つの動詞を指します。他にも、使役の意味を表す動詞がいくつかありますが、この4つをしっかりマスターすれば、会話ではそう不自由することはないでしょう。なぜ、この4つを取り上げたかと言えば、この使役動詞の基本的な意味は、「～させる」なのですが、それぞれ使い方に微妙な違いがあるからです。この4つの使い分けができずに、間違って使っている日本人があまりに多いのです。

　まず、**形の面からは、make、have、letの後には目的語＋動詞の原形が来るのですが、getだけは、後に目的語＋to＋動詞の原形が来るという違いがあります**。そして、意味の違いは、それぞれの項で詳しく解説しますが、**makeは「強制的な意味で～させる」、haveは「～させる権限が話者にある」**場合に使い、**letは「相手が望んでいることを～させる」、そしてgetは「～させようとする人(々)がいる」**ということです。ネイティブ・スピーカーは無意識のうちに、これらを使い分けるでしょうが、日本人の場合はきちんと文法として理解しておくことが必要で、そうすれば、実際の会話でもちゃんと使い分けができることになると思います。

75 make

「両親は私が小学生のときに塾に行かせました」

My parents made me go to a *juku* when I was in elementary school.

　このmakeは、使役動詞のなかではもっとも「強制力が強い」と覚えておきましょう。上の例文や下の練習問題を見ても、どちらかと言えば「無理やり」何かをやらせる感じがするでしょう。つまり、主語になる「人」にとっては、「良かれと思って」何かをさせるのに、その何かをさせられる「人」にとっては必ずしも「歓迎していない」ときにmakeを使うのです。このmakeの使い方に関連して、make＋目的語＋補語（形容詞）も合わせて覚えてしまいましょう。典型的な表現にYou make me sick.（「あなたは私を病気にさせる」→「あなたにはムカツク」）があります。また、What made you think so?（「どうしてそう思ったのですか」）という表現も会話によく出てきますが、このmakeも使役動詞です。

練習問題でチェック！

1. お節介な伯母は、私がまだ大学4年のときに見合いをさせたのです。

☐ My pushy aunt **made** me have an arranged marriage meeting when I was still a (　　　) in college.

2. 私の祖父は、父がまだ中学生のときに新聞配達をやらせました。

☐ My grandfather **made** my dad get a (　　　) route when he was still in junior high school.

3. バブル期が始まったころに、私の兄によって株式市場に投資させられたのは幸運だった。

☐ Luckily my older brother **made** me (　　　) in the stock market during the start of the bubble economy.

まるごと覚える会話例

A: Nomo is a pretty good pitcher. How did he get so good?
B: I heard that his father **made** him practice every morning and night.
A: Did your mom or dad **make** you do anything when you were younger?
B: Yeah! They only **make** me study! I hated it!

訳例
A: 野茂はいいピッチャーですね。どうしてなの。
B: 野茂は、お父さんに毎朝、毎晩、練習させられたらしいよ。
A: あなたが若いときには、お父さんとお母さんは何かやらせた?
B: 勉強ばかりで嫌になっちゃったよ。

練習問題の解答と解説

1. senior アメリカ英語では、「大学4年生」はsenior、「大学3年生」は junior、「大学2年生」はsophomore、「大学1年生」はfreshmanと言う。イギリス英語では、それぞれ、fourth-year student、third-year student、second-year student、first-year studentと言う。また、「1年生」のことをfresherと言うこともある。
2. paper もちろんnewspaperと言ってもよい。 **3. invest**「〜に投資する」と言う場合、この動詞の後にはinが来る。

76 have

「誰かを迎えに行かせます」
I'll **have** someone pick you up.

　英和辞典などに、使役動詞のhaveの意味として「～してもらう」と書いてあるせいか、この日本語に引きずられての間違いをよく目にします。**haveは「何かをさせる権限を話者が持っている場合」に使います。**ですから、例えば、教師が学生に宿題をやらせるとか、レポートを提出させるときにはhaveですが（それが当然だから）、逆に、学生が教師に添削してもらうときには（それは当然ではないので）haveを使うとおかしなことになります。ただし、haveは後に目的語＋過去分詞の形を取ることもあり、この場合は「～してもらう」という日本語をあてるのが自然でしょう。I had my shirts cleaned at the laundry.（「シャツをクリーニングしてもらった」）この形では、目的語は人ではなく物であることがほとんどですから、話者と目的語との間に「上下」のような関係性がないからです。**使役動詞のhaveは、「当然～してもらえる」という意味で使うと覚えておきましょう。**

練習問題でチェック！

1. ずぶ濡れだね。誰かにタオルを持ってこさせよう。
□ You look (　　　　). I'll **have** someone get you a towel.

2. あなたをお迎えに空港の荷物受取所に誰かを行かせましょう。
□ We'll **have** someone meet you at the baggage (　　　　) of the airport.

3. シーラはジョンにあなたのところに冷たい飲み物を運ばせるでしょう。
□ Sheila will **have** John (　　　　) you a cold drink.

まるごと覚える会話例

A: Can you use a Windows-98 computer?
B: No, I can't. You have to **have** somebody teach me.
A: Don't worry. That should be no problem. Have you ever used a computer before?
B: Sorry, but I haven't.

訳例

A: ウィンドウズ98を使えますか。
B: いいえ。誰か教えてくれる人がいないとダメです。
A: 大丈夫。問題ないですよ。今までにコンピューターを使ったことがありますか。
B: 残念ながら、ありません。

練習問題の解答と解説

1.drenched このように受身形で使うことが多い。 **2.claim** ここは、baggage claimで、「荷物受取所」として覚えてしまおう。 **3.get** 発音は、次のyouとくっついて [gétʃə] となる。

77 let

「彼女は彼のことをどう思っているかを彼に知らせた」

She let him know how she felt about him.

使役動詞のletの基本的な意味は、目的語に「人」がくる場合、その「人」が望んでいることを「～させる」ということです。 上の例文では、彼は彼女が自分のことをどう思っているのかを知りたがっているわけです。彼女のほうは、知らせたくなかった可能性が強いのです。でも、彼女は正直に自分の気持ちを伝えたわけです。つまり、**許可の意味合いを感じ取ることができますね。** ですから、「電話番号を教えて」はLet me know your phone number.と言えばよいのですが、これも許可を求めていると考えればわかるでしょう。

なお、「AにBであることを公表する」という表現のlet it be known to A that Bも慣用句として覚えておきましょう（下の練習問題2）。

練習問題でチェック！

1. 彼女はそのジョークにいかに腹を立てていたかを彼にわからせた。
□ She **let** him know how (　　　　) she was at the joke.

2. 彼は自分が離婚しようと思っていることを皆に公表してしまった。
□ He **let** it be known to everyone that he planned to get a (　　　　).

3. 私がまだ独身だと、彼には教えないで。
□ Don't **let** him know that I am still (　　　　).

会話に使えるパーフェクト英文法

まるごと覚える会話例

A: What are your plans for this weekend?
B: I'm not sure. A group of us might go mountain climbing if the weather holds up. If not we just might end up going downtown to a movie or something like that.
A: Well, **let** me know what you guys decide to do.
B: No problem. I'll be sure to **let** you know in due time.

訳例

A: 今度の週末の予定は?
B: はっきりしていないけど、晴れたら何人かで山登りに行くかもしれないし、雨だったら、街に行って映画をみるとか、そんなところだろうな。
A: どうするのか決まったら、教えてね。
B: いいとも。間に合うように連絡するよ。

練習問題の解答と解説

1.angry 「腹を立てた」状態を表すので、形容詞angryがふさわしい。 **2.divorce** 「〜と離婚する」は、get a divorce from 〜となる。 **3.single** unmarriedという表現もあるが、「独身」イコールsingleと覚えておけばよい。

78 get

「彼にあなたの仕事を手伝わせましょう」
I think I'll get him to help you with your work.

　まず、**使役動詞のgetは、これまで見てきたmake、have、letとは違って、後には目的語＋to＋動詞の原形という形が続きます**。この形をとる他の使役動詞には、allowやforceがあります。getの後が目的語＋to＋動詞の原形になっていることを理解するためには、getには「得る」という基本的な意味があるので、目的語になる人を「得る」、さらに、その人にto以下で示される動作や行為を「させる」と考えればよいわけです。**「なんとかして～させる」状態を「得た」というニュアンスがある**と覚えておきましょう。なお、I got him to help you.と言えば、「手伝ってくれる人を見つけた」だけであって、実際に手伝ったかどうかはわかりません。また、このgetもhaveと同様、後に目的語＋過去分詞の形を取ることができます。I'm trying to get my report finished.（「今、レポートを終わらせようと努力しているんだ」）

練習問題でチェック！

1. 私のコンピューターを動かせる人を見つけてもらえますか。
□ Could you **get** somebody to (　　　) my computer?

2. ボブは面倒な仕事を全部あなたにやってもらえると思っているようだ。
□ Bob seems to think he can **get** you to do all his (　　　) work.

3. もう少し説得してみれば、彼女に同意してもらえるはずだ。
□ With a little (　　　) I am sure we can **get** her to agree with us.

会話に使えるパーフェクト英文法

まるごと覚える会話例

A: I am having trouble with my math homework.

B: Don't worry. I'll **get** my older brother to help you.

A: Is he a college student?

B: Yes, and he's majoring in mathematics.

訳例

A: 数学の宿題で困っているんだけど。
B: 心配しないで。兄にきっと手伝ってもらえるさ。
A: お兄さんは大学生なの?
B: うん、しかも数学の専攻さ。

練習問題の解答と解説

1.work 「機械などを動かす」は、workを使う。 **2.dirty** 文字通りには「汚い仕事」や「不正な仕事」だが、この例文のように「面倒な仕事」とか「嫌な仕事」という意味でもよく使う。
3.coaxing この単語は、ここにあるようにwith a little coaxing(「何回か試みると」)で覚えてしまおう。

第7章
日本人の苦手な数量形容詞と不定代名詞

　中学校で、「肯定文にはsomeを使い、否定文と疑問文にはanyを使う」ということを習ったと思いますが、実際の会話では、この原則にあてはまらないことがよくあります。つまり、**疑問文にsomeが使われたり、肯定文にanyが使われたりすることは、会話ではごく普通にあるのです**。それは、どんな状況のときなのかを見てみましょう。

　また、something、anything、everything、nothingのような代名詞を修飾する形容詞は、これらの語の後に置くということも知っておくべき重要な文法です。

　さらに、数えられる名詞に使うmanyとa few、数えられない名詞に使うmuchとa littleの使い分け、日本人が混同してしまうeachとeveryの違い、会話に頻出するoneとthoseの注意すべき用法など、**この章では、日本人が間違えやすい代名詞の使い分けを学びます**。覚え方のコツは、それぞれを対比して頭に入れ、何度も声に出すことです。そうすれば、語感として定着を図ることができるでしょう。

79 疑問文で使うsomeとは

「コーヒーをもう少しいかが?」
Would you like some more coffee?

　数量を示して「いくつか」と言う場合、肯定文ではsome、否定文・疑問文ではanyを使うという原則はすでに覚えていると思いますが、**疑問文でsomeを使う場合**があります。それは、**相手にYesの返事を期待して、何かを依頼したり、何かをすすめるときです**。上の例文では、コーヒーのお代わりをすすめているわけですから、ここはsomeと言っています。もし、ここでWould you like any more coffee?と言うと、「もう全然コーヒーを飲まないのか」ということで、すすめている感じがしないので文脈上、不自然です。

練習問題でチェック!

1. 彼がいつごろ帰ってくるのか、教えてください。
□ Could you give me **some** (　　　) of when he will come back?

2. 確かな証拠を見つけようとしなさい。
□ Why don't you try to find **some** (　　　) evidence!

3. バスに乗るのにもう少し小銭をもらえますか。
□ Can I have **some** more small (　　　) for the bus?

会話に使えるパーフェクト英文法

まるごと覚える会話例

A: Can I give you **some** more advice about traveling in a foreign country?
B: Why not! Go right ahead.
A: I'd be very careful about flashing a lot of money around in public.
B: Don't worry. I'm pretty much flat broke right now!

訳例

A: 外国を旅行するときのアドバイスがいくつかあるのですが。
B: もちろん、どうぞ。
A: 人前でたくさんのお金を見せるときには十分注意しますね。
B: 心配無用です。今は金欠病ですから。

練習問題の解答と解説

1. idea give＋人＋some idea of〜で、「人に〜を大体わからせる」という意味。　**2. hard** 「確かな証拠」と言う場合、形容詞はhardを使う。　**3. change** changeが「小銭」を表す場合、不可算名詞なのでchangesとしないように。

80 肯定文で使うanyとは

「来週ならいつでも会いにきていいですよ」

You may come to see me any day in the next week.

anyが否定文で使われた場合には、「少しも〜ない」という意味で、疑問文では「いくらかの」という意味になることは、もうご存知ですね。では、**anyが肯定文で使われた場合には**、どんな意味になるかと言えば、**「どれでも」「どんな〜でも」という意味になります**。上の例文では「いつでも」→「どんな日でも」と考えてany dayとなっています。このときに注意しなければならないのは、**anyの後には単数の名詞が来る**ということです。これもしっかり覚えておきましょう。

練習問題でチェック！

1. 休暇は好きなときにいつでもどうぞ。

☐ You can plan your vacation **any** time you (　　　).

2. ご希望の山のコースで気軽にハイキングしてください。

☐ Feel free (　　　) go hiking on **any** mountain course you like.

3. 着られないと思う古着は、どんなものでもいいですから私にください。

☐ Please give me **any** old (　　　) that no longer fit you.

184

会話に使えるパーフェクト英文法

まるごと覚える会話例

A: Can you stop by the library and pick me up something to read for the trip.
B: What kind of book do you want?
A: Oh, **any** type of book would be fine.
B: OK. I'll get you some kind of mystery novel.

訳例

A: 図書館に寄って、旅行中に読む本を借りてきてよ。
B: どんな本がお望みなの?
A: どんなのでもいいよ。
B: わかったわ。ミステリーものを借りてくるわ。

練習問題の解答と解説

1.like この場合のlikeは「望む」という意味。 **2.to** feel free to〜で、「自由に〜する」ということ。 **3.clothes** anyの後は単数の名詞が原則だが、この「衣服」を意味するclothesは複数でしか使わない。clothとすると「布」の意味になってしまう。

81 somethingの使い方

「何か温かいものを飲みましょう」
Let's drink something hot.

このsomethingは、「何か」という意味ですが、この語を修飾する形容詞はsomethingの前ではなく、後に置かれます。上の例文でもわかるように、「何か温かいもの」はhot somethingではなく、something hotとなるのです。まず、このことをしっかり覚えておきましょう。また、somethingには、「重要なこと」「大切なこと」という意味もあります。I have something to tell you. と言われたら、「何か重要な話がある」というわけですから、ちょっと身構えてしまいますね。somethingもsomeと同様、疑問文で使えば、相手にYesの答えを期待していることになります。また、somethingは基本的に「物」を指すわけですが、はっきりと「人」を表して「誰か」と言う場合には、someoneやsomebodyを使います。使い方はsomethingと同じで、単数扱いになります。

練習問題でチェック！

1. 何か冷たい物を飲みましょう。
☐ Let's (　　　　) **something** cold to drink.

2. 何か迷惑になっていることがありますか。
☐ Is there **something** that's (　　　　) you?

3. 何かしら私を不安にさせる雰囲気があった。
☐ There was **something** in the air that made me (　　　　)!

まるごと覚える会話例

A: What are you doing tonight?
B: I've got to study for a history test tomorrow.
A: What's the test going to be on?
B: Oh, I don't know. **Something** about the Middle Ages, I think.

訳例
A: 今夜はどうするの。
B: 明日の歴史のテストに備えて勉強するよ。
A: テストは、どこについてなの?
B: わからないよ。中世あたりのことだと思うけど。

練習問題の解答と解説

1.have このように会話では、「飲む」や「食べる」をhaveで表すことがある。　**2.bothering** 会話の冒頭などで「申し訳ありませんが…」と言い表したいときは、I'm sorry to bother you, と言えばよい。　**3.nervous** 他に、worried、uneasy、anxiousなどの形容詞でもよい。

82 anythingの使い方

「医者は、私にどこも悪くはないと言った」

The doctor told me he didn't find anything wrong with me.

　まず、**anythingは疑問文と否定文では「何か」という意味で、肯定文では「何でも」という意味**だということを覚えておきましょう。例えば、質問などで「他に何かありますか」は、Anything else? と言えばよいでしょうし、日本人がよく言う「何でも結構です」は、Anything will be OK. とか Anything will do. となります。修飾する形容詞は、somethingと同じく、anythingの後に置かれます。anythingに対応して「誰か」という「人」を表す語は anyone と anybody で、anythingと同様、単数扱いとなります。

練習問題でチェック！

1. 驚いているようだけど、何か不都合でもあるの。
□ You look rather upset. Is there **anything** (　　　)?

2. 彼女は姉とはまったく違う人物だ。
□ She isn't **anything** at all (　　　) her sister!

3. 彼女の問題は心配するほどのものではありません。
□ Her problem isn't **anything** worth (　　　) about!

まるごと覚える会話例

A: How does the Chicago Bulls look this season?
B: Not too great! There are not **anything** like the NBA Champions of 1998.
A: Is Michael Jordan still playing?
B: No, he retired and most of the 1998 team split up.

訳例

A: 今シーズンのシカゴ・ブルズはどう?
B: そんなにすごくはないね。1998年のNBAのチャンピオンになったときのようではないよ。
A: マイケル・ジョーダンはまだプレーしているの。
B: いや、彼は引退したし、1998年のチームはもうないよ。

練習問題の解答と解説

1. wrong 「どこか悪いところがあるの」と聞くときも、この表現が使える。 **2. like** この文全体は、She is nothing like her sister.と言っても同じこと。 **3. worrying** worthの後は、動名詞にすることを忘れないように。

83 everythingの使い方

「調子はどう?」
How is everything going?

　something、anythingの次は、**everything**です。その用法はsomethingやanythingと同じですから、そんなに難しくはありません。**「すべてのもの」「あらゆるもの」という意味であっても、単数扱いであること、また、修飾する形容詞はやはり後に置かれるということを覚えておけばよいでしょう。**上の例文のように、挨拶代わりに「すべてのことは順調にいっていますか」という意味で、How is everything going? はよく使われます。答え方は、Everything is going well.とか、Everything is OK.となります。everythingの使い方で注意しなければならないのは、このeverythingの前に否定語（notやneverなど）が来たときです。not everythingの語順では「部分否定」になり、「すべてというわけではない」という意味になります。

練習問題でチェック！

1. うまくいっていますか?
□ Is **everything** going all right (　　　) you?

2. 私は警官にその事故について知っていることはすべて話した。
□ I told the (　　　) officer **everything** I knew about the accident.

3. 私の両親はお金がすべてというわけではないといつも言っていた。
□ My parents always told me (　　　) is not **everything**.

まるごと覚える会話例

A: How did you enjoy last year?
B: Not a whole lot! I goofed around and ended-up failing the university entrance exams.
A: So what have you been doing since then?
B: I dropped **everything** and have just been studying day and night!

訳例
A: 去年はいい年だった?
B: そうでもないよ。なまけちゃったから大学の入学試験には落ちたしね。
A: それでずっとどうしていたの?
B: すべてをやめて、日夜勉強しているよ。

練習問題の解答と解説

1. with この日本文は、「あなたは」という含みがあるので、with you?とする。 **2. police** 最近はpolicemanよりも、男女関係なく使えるpolice officerを覚えておこう。 **3. money** こういうときは、無冠詞であることに注意。

84 nothingの使い方

「何も特別なことはなかった」
Nothing particular happened to me.

　ここで取り上げるnothingは「何もない」「全然ない」という意味です。その用法は、やはりsomethingのように〜thingの代名詞と同じです。考え方としては、**not anything＝nothing、つまり「まったく〜ない」という「全否定」を表すのがnothingです**。例えば、「私はその事に関係していました」は、I had something to do with the matter.となりますが、「私はその事に何も関係していませんでした」は、I didn't have anything to do with the matter.か、あるいはI had nothing to do with the matter.となります。このときに、I didn't have nothing to do with the matter.などと、二重否定で言ってしまうことのないように気をつけましょう。

練習問題でチェック！

1. 静かな街なので、ここらあたりでは、刺激的なことは何も起こらない。
- [ ] This is a (　　　) town. **Nothing** exciting ever happens in these parts.

2. 無から有は生じない。
- [ ] (　　　) comes from **nothing**.

3. 彼のレポートには目新しいことは何も書いてなかった。
- [ ] There was **nothing** (　　　) in his report.

会話に使えるパーフェクト英文法

まるごと覚える会話例

A: I love the country air. It's so fresh and clean!
B: Ha! You can have the country air for all I care!
A: What's wrong? Don't you like living out here?
B: I hate it! **Nothing** ever happens in the sticks!

訳例

A:田舎の空気はいいね。新鮮できれいだよ。
B:へえ、あなたが田舎の空気をたっぷり吸っても私には関係ないわ。
A:どうしたんだい。ここに住むのが好きじゃないのかい。
B:大嫌いよ。こんな片田舎じゃ、何も起こらないわ。

練習問題の解答と解説

1.quiet 場所などが静かな場合には、quietがもっとも一般的に使われる。 **2. Nothing** ここは理屈で考えてみよう。直訳すれば「無からは無が生じる」。つまり、「無の反対の有は生じない」ということになる。 **3.new** 「目新しいこと」は、英語ではnew1語で表せば十分。

85 manyの使い方

「彼らの多くが朝食を食べなかった」
Many of them didn't eat breakfast.

　manyは、可算名詞（数えられる名詞）の前に置いて「多くの」という意味を表す形容詞として、また、上の例文のように「多くの人（物）」を表す代名詞として用いられます。**会話では、否定文や疑問文で使われることが多く、**肯定文のときに使えなくはないのですが、ちょっと硬い感じになります。普通は、**肯定文では「多くの」を表すときにはa lot ofを使います。**このmanyの前にnotなどの否定語が置かれると、「部分否定」となり、「あまり〜ない」という意味になります。また、かつては「多くの」を示すmany a＋単数名詞という表現は、文語（格式語）と言われていましたが、最近では会話でもよく使われるので覚えておくとよいでしょう。many a＋単数名詞は、もちろん単数扱いとなります。

練習問題でチェック！

1. 多くの子供たちが朝食を食べたがらない傾向にある。
□ **Many** children (　　　　) to have little appetite at breakfast.

2. そのパーティにはあまり人が来なかった。
□ (　　　　) **many** people came to the party.

3. 多くの若者がひと山当てるのは簡単だと思っている。
□ **Many** a young man (　　　　) it's easy to strike it rich.

会話に使えるパーフェクト英文法

> ### まるごと覚える会話例
>
> A: I hear you're a good swimmer?
> B: That's right. I'm going to try to make the Olympic team.
> A: Good luck! And remember, **many** try, but only a few make it!
> B: Well, I'm the best! So I win the gold!

訳例

A: 泳ぐのが得意だってね。
B: そうね。オリンピックを目指しているのよ。
A: 頑張ってね。多くの人がトライして、残るのは数名だけだからね。
B: 私が一番よ。金メダルを取ってみせるわ。

練習問題の解答と解説

1.tend　tend to〜で、「〜する傾向にある」という意味。
2.Not　manyなどのように数量を表す形容詞の前にnotがある場合、意味に注意。ここでは、「多くの人が来なかった」ではなく、「あまり多くの人が来なかった」ということ。　**3.thinks**　many a (「多くの」) という表現の後に来る名詞は単数形であるから、thinksとなる。

86 muchの使い方

「朝食をあまり食べなかったのね」
You didn't eat much for breakfast.

この much は、many と同様、**「多くの」を表す形容詞と代名詞の働きをしますが、違いは「不可算名詞（数えられない名詞）」に使うということです。**そして、too much などの表現を除いて、やはり否定文や疑問文で使われることが多く、肯定文ではa lot of を使うと覚えておいたほうが間違いがないでしょう。つまり、「多くの」を表すa lot ofは可算名詞でも不可算名詞でも、両方に使える便利な表現なのです。なお、**much＋不可算名詞は「多くの」という意味であっても、「ひとかたまり」で考えて、単数扱いとなります。**また、manyと同様、muchの前にnotなどの否定語が来れば「部分否定」であること、そして、その比較級はmoreであることも覚えておきましょう。

練習問題でチェック！

1. 彼女はとてもおとなしい子で、ベラベラしゃべることはほとんどない。
□ She is a very (　　　　) girl who rarely says **much**.

2. 少しお金を貸してくれますか。今、手持ちがほとんどないんです。
□ Can you (　　　　) me some money? I don't have **much** on me right now.

3. 車の修理代が思っていたよりもずいぶんかかった。
□ The (　　　　) for my car cost **much more** than I had expected.

まるごと覚える会話例

A: You really don't have **much** drive these days.

B: It's not a question of drive. Recently I've been feeling pretty tired.

A: If you feel that way, why don't you go and see the team doctor?

B: That's not a bad idea at all. I'll call for an appointment today.

訳例

A: この頃やる気があまりないようだね。
B: やる気の問題じゃないわ。最近とても疲れを感じるのよ。
A: それなら、チームドクターにみてもらったらどうだい。
B: いい考えね。今日、アポをとるわ。

練習問題の解答と解説

1.quiet 「おとなしい」イコール「物静か」と考えればよい。
2.lend 「お金を貸す」はlendが一般的。 **3.repairs** このように名詞のrepairを「修理作業」の意味で使うときは、複数形にする。

87 a few の使い方

CD 44

「日曜日の投票に行った人は ほんのわずかであった」

Only a few people went out to vote on Sunday.

fewは「少し」という意味で、形容詞、または代名詞として使われますが、大事なのは、fewとa fewの使い分けです。**fewは「ほとんどいない」という否定的な側面を強調しているのに対し、a fewは「少しはいる」という肯定的側面を強調しているということです**。ですから、「彼には、いい友人がほとんどいません」はHe has few good friends.となり、「彼には、いい友人が少しはいます」はHe has a few good friends.となります。さらに、quite a fewとなると、「かなり多くいる」という意味なので、「彼には、かなり多くのいい友人がいます」はHe has quite a few good friends.と表すことができます。このように、(a) fewは可算名詞の複数形とともに、あるいは、その代わりに用いられると覚えましょう。

練習問題でチェック！

1. 私の中学時代には友人が大勢いた。
☐ I had (　　　) **a few** friends in junior high school.

2. その老人の葬式に出席したのは、われわれほんの数名だけであった。
☐ There were only **a few** of us at the old man's (　　　).

3. 多くの人がアメリカン・ドリームを手に入れたいと願うが、その夢をかなえられるのはほんのわずかだ。
☐ Many people want the American Dream, but only **a few** ever (　　　) it.

会話に使えるパーフェクト英文法

まるごと覚える会話例

A: I heard that out of all the company members, only **a few** would go on the staff picnic.

B: This isn't Japan. In America, people don't feel obligated to participate in company activities.

A: That philosophy would also never work in Japan these days!

B: Then probably East meets West in Japan!

訳例

A: 会社の従業員のうち、ほんの数名しか社内ピクニックに参加しないんだって。

B: ここは、日本じゃないのよ。アメリカでは、会社の催し物に参加する義務なんてないんだから。

A: 最近は日本でも、そうなっているよ。

B: じゃ、日本でも東洋が西洋化しているのね。

練習問題の解答と解説

1.quite このquiteがあるかないかで、意味がまったく変わってしまうので要注意。 **2.funeral** 「葬儀に参列する」はattend one's funeralと言う。 **3.reach** 「夢に到達する」と考える。

88 a little の使い方

「君に友人として少しばかり
アドバイスをあげよう」
I would like to give you
a little friendly advice.

ここで取り上げるlittleは、「少し」という意味では、fewと同じですが、**不可算名詞の前に置く、つまり、数えられない名詞の量を表すときに用います**。また、fewと同じようにaが付くか付かないかで、意味が変わってきます。**littleは「ほとんどない」という否定の意味になり、a littleは「少しはある」という意味です**。例えば、「彼女は、ワインの知識がほとんどない」はShe has little knowledge of wine.となり、「彼女は、ワインの知識を少しばかり持っている」はShe has a little knowledge of wine.となります。ですから、何か飲み物などをすすめられて、「少しだけ」と言いたい場合には、aを付けて "Just a little, please." と言えばよいでしょう。

練習問題でチェック！

1. 彼が回復する望みは少しはある。
□ There is **a little** hope that he will (   ).

2. 少しテーブルを後ろへ下げてもらえますか。
□ Could you move the table back **a little** (   ), please?

3. ほんのもう少しだけマッシュポテトをいただけますか。
□ Can you give me just **a little** (   ) mashed potatoes, please?

会話に使えるパーフェクト英文法

まるごと覚える会話例

A: Have you finished the report yet?
B: No, I haven't. Can you give me **a little** more time?
A: How much more time do you need?
B: I only need just **a little**. Say about another two hours.

訳例
A: もうレポートは仕上げたのかね。
B: いえ、まだです。もう少し時間をいただけますか。
A: どのくらいの時間が必要なのかな。
B: ほんの少しです。あと2時間ほどです。

練習問題の解答と解説

1.recover くだけた表現ではget wellと言う。 **2.bit** 「少し〜してほしい」と距離や程度を言うときの「少し」は英語にすると、a little bitとなる。 **3.more** 「もう少し」と量を言うときは、a little moreとなる。

201

89 oneの注意すべき用法
CD 45

「時計をなくしたので、
新しいのを買わなくてはなりません」
I've lost my watch.
I have to buy a new one.

　ここで取り上げるoneは、会話のなかで出てきた名詞（数えられる名詞）をもう一度繰り返さずに、oneで置き換えるという働きをします。上の例文では、oneはwatch（時計）を指しています。このときにI have to buy a new watch. と言っても間違いではありませんが、oneで置き換えたほうが英語としては自然です。買い物をして「これを下さい」と言う場合は、I'll take this one.という表現を知っておけば便利です。要するに、前に出てきた名詞の種類を受けて、不特定多数のうちの1つを指すのが、oneなのです。また、このoneは前に出てきた「人」を指すこともありますし（下の練習問題1）、関係代名詞whoの前に置かれて「人」を表すこともあります（練習問題3）。なお、複数形はonesとなります。

練習問題でチェック！

1.「どの女性と会いたいですか」「赤いドレスを着た子と会いたいですね」
☐ "Which girl would you like to meet?" "I'd like to meet the **one** with the red dress (　　　　)."

2. 水玉模様のネクタイをしているのが彼です。
☐ He's the **one** with the (　　　　) dot tie.

3. カヌー旅行に唯一行かなかったのが、マイケルです。
☐ The only **one** who didn't go on the (　　　　) trip was Michael.

会話に使えるパーフェクト英文法

まるごと覚える会話例

A：I'd like to buy a tie clip, please.
B：Which **one** would you like me to take out of the glass display case?
A：I'd like to see that **one**, please.
B：Here you are. How do you like it?

訳例

A：タイピンを買いたいのですが。
B：ガラスケースからお出しいたしますが、どれにしますか。
A：それをお願いします。
B：はいどうぞ。いかがですか。

練習問題の解答と解説

1.on このonを忘れないように。副詞で「身につけている」ということ。なお、この文のように修飾語句がoneに付く場合は、限定されているのでthe one〜となる。　**2.polka** 「水玉模様」は通例、複数形でpolka dotsというが、ここではtieを修飾しているので単数形になる（例：three-year old boy）。　**3.canoe** [kənúː] 発音とアクセントに注意。

90 noneの使い方
CD 45

「その結果に彼らは誰も満足していなかった」

None of them were pleased with the results.

noneは「人」に用いて「誰も〜ない」、「物」に用いて「何も〜ない」という意味です。ここでは、「A（複数の人）は誰も〜ない」を表すnone of Aの形をマスターします。まず、ofの後には複数名詞が来るということ、そして、none of A全体でも複数扱いになるということを覚えておきましょう。実は、none of A全体で単数扱いの場合もあるのですが、会話では「複数扱い」で問題はありません。それから、ofの後のAの部分が普通名詞の場合にはtheを落とさないようにしてください（下の練習問題2と3）。これは、「ある特定の人たちの誰もが〜ない」ということなので、theが付くと考えれば理解できますね。特定せずに、「誰も〜ない」というときには、no oneやnobodyを使えばよいでしょう。

練習問題でチェック！

1. 私たちは誰も結果に喜んでいなかった。
   ☐ **None** of us were happy (   ) the results.

2. 女の子たちは誰もゴルフをしたくはなかった。
   ☐ **None** of the girls cared (   ) playing golf.

3. 子供たちは誰もホラー映画に行きたくはなかった。
   ☐ **None** of the kids wanted to go to the (   ) movie.

まるごと覚える会話例

A: How strong was your football team when you were in high school?

B: We were great! We became California State Champions.

A: Did anybody go on to make the pros?

B: No, **none** of the guys even made it big in college! We weren't that good!

訳例

A: 高校時代はアメフトのチームは強かったですか。

B: 強かったですよ。カリフォルニア州のチャンピオンになりましたから。

A: 誰かプロになりましたか。

B: いいえ、誰も大学でも活躍できませんでした。それほどではなかったです。

練習問題の解答と解説

1.with happyは後に名詞が来る場合、前置詞はwithとなることが多い。　**2.for** care forは否定文や疑問文で使われて、「〜したい」という意味。　**3.horror** スペリングに注意。「ホラー小説」はhorror storiesと言う。

91 anotherの使い方

「コーヒーをもう1杯いかがですか」
Will you have another cup of coffee?

　anotherが「物」を表す場合には、「もう1つの」を意味し、「人」を表す場合には、「もう1人の」を意味します。「別の1つ」という意味がぴったりくるときもあります。anotherに続く名詞は、当然、数えられる名詞の単数形となります。ただし、「もう3週間」と言う場合はanother three weeksとなります。これは、three weeksを「ひとかたまり」の単位とみなしているからです。また、anotherの前に冠詞（the、an）や所有格の代名詞（my、your、his、herなど）を置くことはできません。なぜなら、もともとanotherはan + other（「他の1つ」）という構造になっているからです。ですから、「私のもう1人の友人」はmy another friendではなく、another friend of mineとなります。

練習問題でチェック！

1. チョコレートケーキをもう1ついかがですか。
☐ Would you like **another** (　　　　) of chocolate cake?

2. 別の靴をはいてみますか。
☐ Do you want to try on **another** (　　　　) of shoes?

3. 宝くじにもう1回挑戦してみるよ。
☐ I'm going to take **another** chance at winning the (　　　　).

会話に使えるパーフェクト英文法

まるごと覚える会話例

A: This coffee is just delicious! What type is it?

B: This is Italian cappuccino. It is really good, isn't it?

A: It sure is! I'll have **another** cup, please.

B: Here you are.

訳例

A: このコーヒーはおいしいね。どんな種類ですか。
B: イタリアのカプチーノよ。おいしいでしょ。
A: 本当だね。もう1杯もらおうかな。
B: はいどうぞ。

練習問題の解答と解説

1.piece ケーキ丸ごとではなく、切ったものを数えるときはpieceを使う（例：「ケーキ3つ」はthree pieces of cake）
2.pair 靴のように対で使うものにはpairを使って表す（例：スリッパはa pair of slippers、手袋はa pair of gloves） **3.lottery**「宝くじの券」は、lottery ticketと言う。

92 othersの使い方

「他のものを見せてください」
Show me some others, please.

　前項のanotherが代名詞として用いられた場合、「もう1つ」という意味で単数のものを示していましたが、それが複数になって**「他のもの」を示すのが、othersです**。このothersが「人」を表す場合には「他人」ということになります。「他人にやさしく」はBe gentle to others.ですね。さて、関連して覚えておかなければならないのは、the other と the othersです。the otherは「2つのうちのもう一方」という意味で、通例oneと対比されて、One was black and the other was red.(「1つは黒で、もう1つは赤だった」)のように使います。また、the othersは「残りの全部」という意味ですから、Some of them went out, but the others stayed at the hotel.(「何人かは出かけたけど、残りの人は皆ホテルにいた」)というように使います。

練習問題でチェック！

1. このドレスだけじゃなくて、他のも見せてもらえますか。
□ Could you show me some **others** (　　　) of just this dress?

2. 彼だけがこの街で足が速いわけじゃない。彼よりももっと速い人は他にもいるよ。
□ He is not the only quick runner in the city. There are **others** who are (　　　) faster than him.

3. まだ、スキーを滑りたい人が何人かいるけれど、他の人たちは皆ロッジにいるほうがいいと言っている。
□ A few of us want to still go skiing. All of the **others** prefer to stay in the (　　　).

まるごと覚える会話例

A: I'm worried about Carol having to do all of this yard work alone.
B: Don't worry. We'll get some **others** to help her if you'd like.
A: Only two or three? Can't we get a few more to pitch in as well?
B: If it makes you feel better, I'll go and ask all the kids upstairs in room 201 to lend a helping hand, too.

訳例

A: キャロルがこの庭仕事をひとりで全部するのは大変だよ。
B: 心配しないで。なんなら、他の人にも手伝わせるから。
A: 2人か3人かい。協力してもらえる人があと何人かいないの?
B: そのほうがいいなら、201号室にいる子供たちみんなにも手を貸してもらうわよ。

練習問題の解答と解説

1.instead　「〜の代わりに」を表す一般的な表現として、instead of〜を覚えておこう。　**2.much**　比較級の強調なので、muchを入れればよい。　**3.lodge**　この単語は、「山小屋」から「リゾートホテル」まで、結構幅広い意味で使われる。

93 eachの使い方
CD 47

「学生は各自、家に自分のコンピューターを持っています」
Each student has their own computer at home.

このeachは、「それぞれ(の)」「めいめい(の)」という意味です。eachの後にくるのは「人」でも「物」でもよいのですが、いずれにしても「個々」を指しますので、数えられる名詞の単数形が来ます。ですから、**eachは「単数扱い」と覚えておきましょう。**上の例文でも、動詞はhasとなっていますね。ただ、その後のtheirはどうなんでしょう。単数扱いなのに、複数の所有格ですね。日本語では「学生」とだけ言っていますが、英語にするときには、その学生に男性も女性も含まれるならば、his or herと表現するのですが、会話では、この両方をひっくるめてtheirを使うことがよくあります。このように、eachに対応する所有格にtheirを使うことがあるということも覚えておきましょう。なお、each otherは「お互いに」という意味でよく使われます。

練習問題でチェック！

1. 日本の学生はそれぞれ誰でも大学に入るチャンスがある。
   ☐ **Each** and every student in Japan has a chance of (　　　) into college.

2. 人はそれぞれ自分の意志を持っている。
   ☐ **Each** person has their own free (　　　).

3. メアリーとトムは相思相愛だ。
   ☐ Mary and Tom really love **each** (　　　).

まるごと覚える会話例

A: Do you think **each** of us can be a success later in life?
B: Well, it all depends on how hard you work and how lucky you are.
A: Does luck play a role in being successful?
B: It sure does! **Each** and every one of you need to work hard and be in the right place at the right time. Opportunity knocks only once!

訳例

A:僕らそれぞれが人生の後のほうで成功できると思うかい。
B:それは、どれだけ働いてどれだけ運があるかによるわ。
A:成功するのに運が大切なのかい。
B:もちろんよ。誰でも一生懸命働かなくちゃ、しかもいい時にいい場所でね。チャンスは一度だけよ。

練習問題の解答と解説

1.getting 「入学する」は、このようにget intoを使って表すことができる。 **2.will** 「意志」を表すwillは不可算名詞なので、willsとはしない。 **3.other** 「相思相愛」は「お互いに好いている」と考える。

94 everyの使い方

「日曜日はどの店も閉まっている」
Every shop is closed on Sundays.

前項のeachは「個々」を指していましたが、**このeveryは「個々」を指しながらも「全体」を意識しているときに使います。**ですから、**「どの〜もすべて」という意味になります。**上の例文では、「店それぞれが閉まっている」→結果として「どの店も閉まっている」ということです。ちなみに、「個々」ではなく、「全体」のみを意識している場合には、「すべて」を意味するallを使います。それから、**間違える人が多いのですが、everyは「単数扱い」です。**単数か複数か、わからなくなったら、誰でも知っているevery dayという表現を思い出すことです。Every daysとは言わないことからも、単数扱いだとしっかりインプットできるでしょう。

練習問題でチェック！

1. 中心街のどの店も祝日には閉まってしまう。
   ☐ **Every** store (　　　　) is closed on national holidays.

2. すべての学生が毎日授業に出るのは、学校の規則です。
   ☐ It's a school (　　　　) that **every** student attends classes daily.

3. アメリカで生まれた人なら誰でも、ある日大統領に選ばれるチャンスがある。
   ☐ **Every** person born in America has the chance to be (　　　　) president one day.

まるごと覚える会話例

A: Why don't we go downtown to the shopping district on Monday?
B: That's not a good idea. It's a national holiday that day and all of the stores will be closed.
A: Well, then how about going on Saturday?
B: That's also a bad idea. **Every** shop will be open, but they'll be packed solid with weekend shoppers.

訳例

A: 月曜日に繁華街のお店に行きましょうよ。
B: だめだよ。その日は祝日だから店は全部閉まっているよ。
A: じゃ、土曜日はどう。
B: それもだめだな。店は開いていても週末の買い物客でごったがえすから。

練習問題の解答と解説

1.downtown このdowntownは、「中心街」や「繁華街」を指す言葉であり、日本語の「下町」とは違う。 **2.rule** 「規則」を表す一般的な語はruleで、後にthat節を取る。regulationは「法律上の規則」のニュアンスが強い。 **3.elected** 選挙等によって「選ぶ」のはelectである。

95 thoseで「人」を表す場合
CD 48

「パーティに参加したいと思う人、手を挙げて」
Those who would like to join the party, please raise your hand.

このthoseは、thatの複数形ですが、「あれら」という意味ではありません。**「〜する人」という意味で、会話ではよく出てきます。**「〜する人」の「〜する」の部分は、ほとんどの場合、関係代名詞のwhoを続けて表しますので、この「人」を表すthoseは、those who〜の形で使うということを覚えておきましょう。thoseですから、当然「複数の人々」を指しています。特に、上の例文や下の練習問題1や3のように、不特定多数の人に、何かを呼びかけたり、伝えるときに使うことができます。なお、練習問題3は、Those who are leavingのwho areが省略されていると考えるとわかりやすいでしょう。

練習問題でチェック！

1. オーストラリアへの団体旅行に行きたい人は、午後1時に会議室に集まってください。
☐ **Those** who are interested in the group (　　　) to Australia should come to the meeting room at 1 p.m.

2. 結婚しなかった人たちは、結局キャリアウーマンになった。
☐ **Those** who didn't get married ended up as (　　　) women.

3. 船を離れる人は、午後4時までには必ず戻ってきてください。
☐ **Those** leaving the ship, please be back no (　　　) than 4 p.m.

まるごと覚える会話例

A: We're really getting bored hanging around inside. I think some of us would like to go out.

B: There's going to be heavy rain this afternoon. **Those** who want to go outside make sure you take umbrellas.

A: Don't worry. We'll wear raincoats, too.

訳例

A: 中で待っているのにも飽きてきましたね。外に出たい人もいるんじゃないかな。

B: 午後には強い雨になりますからね。外に行きたい人は、傘を忘れずにね。

A: 大丈夫。レインコートも持っていきますから。

練習問題の解答と解説

1.tour 「団体旅行」のことをgroup tourやpackage tourと言う。 **2.career** 日本語の「キャリアウーマン」は英語から来ているので、そのままcareer womanでよい。 **3.later** no later than〜で、「遅くとも〜までに」と覚えてしまおう。

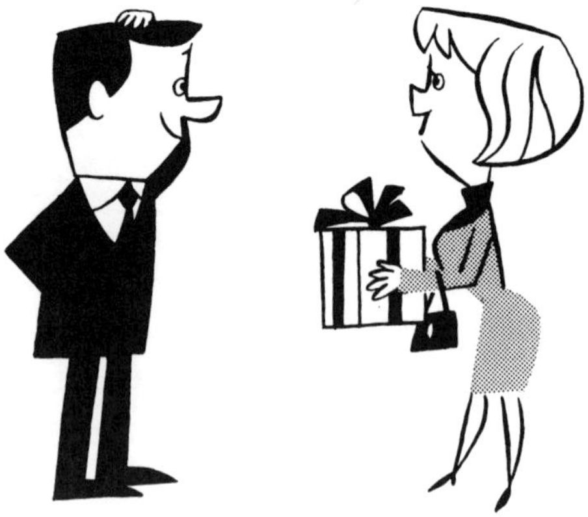

第8章
その他の重要会話文法

　これまで、会話に必要と思われる文法を95項目にわたって取り上げてきました。ここまでをしっかりマスターしていれば、相当な力がついていると思いますので、この章は「おまけ」と考えて読んでいただいても結構ですが、**この章で、4つの構文と再帰代名詞の使い方を取り上げて、本書の締めくくりといたします。**

　まず、**「the＋比較級～, the＋比較級…」の構文とIt is ～ thatの強調構文**ですが、これらは、学習参考書などにも記されていますので、受験英語だと思っている人も多いかもしれませんね。でも、実は会話でもよく出て来るのです。もちろん、この構文を使わなくても会話に不自由することはないでしょうが、あなたの会話に「スパイス」を加えたいならば、ぜひ使ってみてください。

　次に、**It is difficult to～の構文とIt is kind of you to～の構文**は、difficultやkindなどの形容詞と関連した文法ですが、応用範囲が広いので、会話に生かせること間違いありません。そして、myselfなどのように-selfや-selvesが付いた**再帰代名詞**は、本来使うべきところに使えない日本人が多いので取り上げました。ブロークンではない会話を目指すためにも、今一度、再帰代名詞の使い方を復習しておきましょう。

96

the＋比較級〜, the＋比較級…

「早ければ早いほどいい」
The sooner, the better.

この「the＋比較級〜, the＋比較級…」という構文は、「〜すればするほど、…となる」という意味です。相手の話に合わせて、タイミングよくこの構文を使えば、会話の潤滑油として効果的です。ただし、ちゃんと比較級が出て来ないとダメですよ。そんなに長い文章を考える必要はありません。短いほうが、パンチがきいて相手にうなずいてもらえるはずです。上の例文のように、主語と動詞が省略されて使われることも多く、「短ければ短いほうがいい」であれば、The shorter, the better.となりますね。

練習問題でチェック！

1. 食べれば食べるほど、体重が増える。
   □ **The more** you eat, **the more** weight you (　　　).

2. 彼は、勝つと思えば思うほど負けてしまう。
   □ **The more** he thinks he can win, **the more** he (　　　).

3. 練習すればするほど、速くなるでしょう。
   □ **The harder** you (　　　), **the faster** you'll become.

まるごと覚える会話例

A: Many feel that **the harder** you work, **the richer** you'll become.
B: Things don't always turn out that way.
A: What do you mean?
B: Often it works the opposite. **The more** money you make, **the lazier** you become!

訳例
A:多くの人が、働けば働くほど金持ちになると思っている。
B:必ずしもそうなるとは限らないわ。
A:どういうこと?
B:その反対になることもあるわ。稼げば稼ぐほど、怠惰になるということ。

練習問題の解答と解説

1.gain 体重が「増える」はgain、「減る」はloseを使う。
2.loses 勝負に「負ける」もloseと言えばよい。 **3.trainあるいはpractice** この場合の「練習する」は「訓練する」と考えてtrainかpracticeを使う。

97　It is difficult to ～の構文

「あのミュージカルのチケットを予約するのは難しい」

It's difficult to book a ticket of that musical.

　会話では、このit is＋形容詞＋to～の構文が頻繁に出て来ます。「～するのは～（形容詞）だ」という意味で、isの部分は、過去のことであれば、もちろんwasになります。上の例文では、日本語の主語は「あのミュージカルのチケットを予約すること」ですが、英語では、先に「難しい」をIt's difficultと言ってしまい、その後にto～以下で「～するのは」を表します。もし、「私が」という意味上の主語を入れるときには、形容詞のdifficultの後にforを置いて、for meとします。**この構文に使える形容詞は、他に、easy、hard、impossible、possibleなどがあります。**なお、上の例文でbookは動詞で「予約する」という意味です。

練習問題でチェック！

1. お正月の休暇中に都心でホテルの予約を取るのは難しい。
□ **It is difficult to** get a hotel (　　　　) in central Tokyo during the New Year holidays.

2. ジャンボ宝くじで当選するのはすごく難しい。
□ **It is** quite **difficult to** ever (　　　　) the Jumbo lottery.

3. 真夜中を過ぎると、このあたりでタクシーを拾うのは難しい。
□ **It is difficult to** catch a cab around here after (　　　　).

会話に使えるパーフェクト英文法

> ## まるごと覚える会話例
>
> A: I've been thinking that I'd like to climb Mt. Fuji on New Year's Eve.
> B: **It is difficult** if not impossible **to** do that.
> A: Why do you say so?
> B: Because climbing the mountain is prohibited and the deep snow and cold wind would make it really dangerous.

訳例

A: おおみそかに富士山に登ってみたいとずっと考えているんだ。
B: 不可能じゃないでしょうけど、難しいわね。
A: どうして。
B: だって、登山は禁止でしょうし、深い雪と冷たい風で危険だから。

練習問題の解答と解説

1. reservation 「飛行機の予約」をflight reservationと言えるように、「〜の予約」は〜にそのまま名詞を入れて表せる。

2. win 「宝くじで当てる」の「当てる」はwinが使える。

3. midnight midnightは「午前0時」のこと。

98 It is kind of you to ～の構文

「あんなに歓待していただいて、とてもありがとうございました」

It was very kind of you to have shown such great hospitality.

　前項の構文で、意味上の主語をforではなく、ofの後に置けば、ここで取り上げるit is + 形容詞 + of ～ to…の構文になります。意味は「～が…するのは形容詞だ」となります。上の例文のように英語では、先に「あなたは親切でした」と言ってから、「歓待をしてくれたことは」を続けるやり方は、前項と同じです。**この構文を取る形容詞には、nice、polite、rude、stupidなどがあり、共通していることは「意味上の主語の性格や性質を表す」ということです。**ですから、例えば上の例文は、You were very kind to have shown such great hospitality.と言い換えることができるのです。

練習問題でチェック！

1. あのように立派なことを言っていただいて、感謝いたしております。
□ **It is** very **kind of you to** say such nice (　　　).

2. ホテルに戻る道を教えていただき、ありがとうございます。
□ **It is kind of you to** show me the way (　　　) to my hotel.

3. パーティにお招きいただき、誠にありがとうございます。
□ **It is** really **kind of you to** have (　　　) me to your party.

まるごと覚える会話例

A: Frank, thank you for coming over today.
B: The pleasure is all mine. **It is** really **kind of you to** invite me over for lunch.
A: You're very welcome. Come on in. I'd like you to meet my husband.
B: Thanks. I'm looking forward to it.

訳例

A: フランク、今日は来てくれてありがとう。
B: こちらこそ。お昼に招いてくれて感謝しています。
A: いらっしゃい。中に入って。夫を紹介するわ。
B: ありがとう。楽しみにしていたんだ。

練習問題の解答と解説

1. things　suchの後にaがないので、ここは複数形にする。
2. back　the way back to〜で「〜へ戻る道」ということ。
3. invited　to不定詞の部分が現在完了形になっていることにより、パーティに招かれたのは「過去」のことだとわかる。

99 再帰代名詞の使い方

「英語で自己紹介させていただきます」
Let me introduce myself in English.

再帰代名詞というのは、myselfなどのように-selfが付いた代名詞のことで、「〜自身」という意味です。他に、単数でyourself、himself、herself、itself、複数でourselves、yourselves、themselvesがあります。**使い方の基本は、「主語と同じ人（物）が目的語になる」場合です。**上の例文では、主語である「私」がintroduceする目的語も「私」ですね。「私は楽しかった」も「自分自身を楽しませた」と考えて、I enjoyed myself.と言いますね。また、前置詞の後に来る場合も同様で、「彼女は、自分のことをしゃべりまくった」は、She talked a lot about herself.であって、She talked a lot about her.ではありません。**もう1つ、「意味を強める」ときにこの再帰代名詞を使うことがあります。**「この宿題は、自分でやったのか」はDid you finish this homework yourself? とyourselfを入れれば、「君自身が」と強調していることになります。

練習問題でチェック！

1. よろしければ、私自身のことを説明させてください。
☐ If you don't (　　　), I'd like to explain about **myself**.

2. この機会に皆様に私のことをお話させていただきます。
☐ (　　　) me to take this opportunity to tell you about **myself**.

3. 皆様に私の紹介を少しばかりさせていただいてよろしいでしょうか。
☐ Can I have a (　　　) to express **myself** to all of you?

会話に使えるパーフェクト英文法

まるごと覚える会話例

A：Hello. Let me introduce **myself**. My name is Bob Egan.
B：I'm glad to meet you. I'm Debbie Sullivan. Where are you from?
A：I'm from New York. How about you?
B：Oh, I come from the West Coast.

訳例

A：こんにちは。自己紹介をさせていただきます。私の名前は、ボブ・イーガンです。
B：お会いできてうれしいわ。私はデビー・サリバンよ。どこからいらしたの。
A：ニューヨークからです。あなたは?
B：私は西海岸よ。

練習問題の解答と解説

1.mind if you don't mindで「差し支えなければ」という意味で、表現全体が「謙虚」な感じになる。　**2.Allow** Allow me to ～は「～させてください」というときに使う表現。　**3.minute** このminuteは「ちょっとの間」ということ。

225

100 It is〜thatの強調構文

「先月結婚したのは、彼の弟ではなくて、妹だよ」

It is his sister that got married last month, not his brother.

このit〜thatの強調構文も覚えておくと便利です。**it is〜that...で「...は〜だ」と「〜」の部分を強調します。**先に強調したい語句をit is（過去のときはwas）の後に置いて、that以下でその対象となる事柄の説明をします。「彼と会ったのは先週の火曜日じゃなくて、水曜日だったと思う」は、I think it was last Wednesday that I met him, not Tuesday. と言えばいいですね。この強調する部分には、語句だけでなく、節が来ることもあり、その典型がIt is not until〜thatです。例えば「この本の良さは読み終えて始めて気がつくでしょう」はIt will be not until you finish reading the book that you notice its value. となります。

練習問題でチェック！

1. ワールドシリーズで優勝したのは、ニューヨーク・メッツじゃなくて、ニューヨーク・ヤンキースだよ。

   ☐ **It is** the New York Yankees **that** was the World Series (　　), not the New York Mets.

2. 東大の学生は、彼ではなくて、彼の双子の弟だよ。

   ☐ **It is** his (　　) brother **that** is a "Todai" student, not himself.

3. 世界でもっとも物価の高い都市はニューヨークではなくて、東京だよ。

   ☐ **It is** Tokyo **that** is the world's most (　　) city, not New York.

会話に使えるパーフェクト英文法

まるごと覚える会話例

A: Which of the six Central League teams are the most popular? The Tigers?

B: No way! **It's** the Giants **that** are by far the most popular team.

A: Why is that? Are they the strongest?

B: Not necessarily. But they seem to have the most money and political pull on television.

訳例

A:セリーグで一番人気のあるのはどこのチームですか。タイガースですか。

B:まさか。格段の人気はジャイアンツですよ。

A:どうしてなの。一番強いの?

B:そうでもないよ。でも、一番金持ち球団で、テレビにもよく出るからさ。

練習問題の解答と解説

1.Champions このように「ワールドシリーズのチャンピオン」と言う場合、複数形となることに注意。 **2.twin** 「双子」の両方を指すときはtwinsとなるが、ここでは「双子の弟」なのでtwin brotherとなる。 **3.expensive** 「物価が高い都市」はexpensive cityでよい。

■著者略歴
古家　聡（ふるや・さとる）

　東京教育大学文学部（英語学英文学専攻）卒業。元『時事英語研究』編集長。現在、武蔵野大学人間関係学部教授。専門は、英語教授法、異文化間コミュニケーション、時事英語。著書に『これを英語で言えますか？』（監修、講談社インターナショナル）などがある。趣味は、観劇（小劇場からミュージカルまで芝居なら何でも）。

---- ご意見をお寄せください ----
ご愛読いただきありがとうございました。本書の読後感・ご意見等を愛読者カードにてお寄せください。また、読んでみたいテーマがございましたら積極的にお知らせください。今後の出版に反映させていただきます。

編集部☎(03)5395-7651

会話に使えるパーフェクト英文法

2000年5月31日　初版　発行
2018年11月9日　第17刷発行

著　者　古家　聡
発行者　石野栄一

明日香出版社

〒112-0005　東京都文京区水道2-11-5
電話(03)5395-7650(代　表)
　　(03)5395-7654(Ｆ Ａ Ｘ)
http://www.asuka-g.co.jp

印　刷　株式会社研文社
製　本　根本製本株式会社
ISBN4-7569-0274-X C2082

乱丁本・落丁本はお取り替えいたします。
ⒸSatoru Furuya 2000, Printed in Japan

CD BOOK 英会話ダイアローグブック

多岐川恵理
本体価格 2400円+税
B6変型　384ページ
ISBN978-4-7569-1336-4
2009/10 発行

リアルな日常表現 180場面！
『フレーズブック』の次におすすめしたい本

<リアルな日常会話集！>
仕事・遊び・恋！　日常のひとこま、ビジネス、恋愛や友達との会話で使ってみたくなる表現が満載。「恋愛」「電話」「酒の席」「パソコン」など、日常会話のさまざまな場面を設定し、そのテーマで必ずおさえておきたい表現を盛り込んだダイアローグを豊富にそろえました。超・リアルな会話を通して、ナマの英語表現が今すぐ身につきます。

<聴くだけで楽しい！>
CD 2枚に、英語と日本語の両方のダイアローグを収録。読むだけで・聴くだけで楽しい、英会話集の決定版！

<こんな方にオススメです>
・『英会話フレーズブック』を気に入ってくださった方
・ナチュラルな英語を使いこなしたい方
・文法をコツコツ勉強するより、とにかく会話を楽しみたい方

CD BOOK たったの72パターンで こんなに話せる英会話

味園　真紀：著

本体価格1400円＋税
B6変型　216ページ
ISBN4-7569-0832-2
2005/01発行

**全国で大好評発売中！
英語ぎらいな人も、
英語が好きな人も、
必ず英語が話せるようになる！**

＜決まった「パターン」を使い回せば、誰でも必ず話せる！＞
英会話では、フレーズを丸暗記するのではなく、英語でよく使われる「パターン」を身につけることが、1日も早く英語が話せるようになる近道です。

＜これでもうフレーズ丸暗記の必要ナシ！＞
「～じゃない？」「～頑張って！」「よく～するの？」「～してもらえない？」「～はどんな感じ？」「～だよね？」などなど、ふだん使う表現が英語でも必ず言えるようになります。

＜こんな方にオススメです＞
・英語を始めたばかりの方、やり直し始めたばかりの方
・暗記が苦手な方
・英文法をコツコツ勉強するより、とにかく会話を楽しみたい方

CD BOOK たったの68パターンで こんなに話せるビジネス英会話

味園　真紀：著

本体価格1600円＋税
B6変型　208ページ
ISBN4-7569-1021-1
2006/10発行

**ビジネス英語だって、
『68パターン』を使い回して
ここまで話せる！
いちから勉強する時間がない…
という方にもオススメです。**

＜決まった「パターン」を使い回せば、誰でも必ず話せる！＞
英会話では、フレーズを丸暗記するのではなく、英語でよく使われる「パターン」を身につけることが、1日も早く英語が話せるようになる近道です。

＜これでもうフレーズ丸暗記の必要ナシ！＞
「あいにく〜」「〜してもよろしいですか？」「〜して申し訳ございません」「当社は〜です」「〜していただけますか？」「〜はいかがですか？」などなど、ビジネスでの必須表現が、英語でも言えるようになります。

＜こんな方にオススメです＞
・ビジネスですぐに使える英語を身につけたい人
・英語を始めたばかりの方、やり直し始めたばかりの方
・暗記が苦手な方